하루 한 장 60일 집중 완성

교과도형

초4

D2

평면도형의 이동

에듀☆히어로
─ Edu HERO ─

네이버 카페

교재 상세 소개와 진단 테스트
및 유용하게 풀 수 있는
학습 자료를 다운로드 해 보세요.

인스타그램

에듀히어로 인스타그램을
팔로우하시면 다양한 이벤트와
신간 소식을 빠르게 만나보실
수 있습니다.

카카오톡 채널

자녀 수학 공부 상담 및
자유로운 질문을 남겨 주세요.
함께 고민하고
답변해 드리겠습니다.

"진짜 히어로는 우리 아이들입니다!"

에듀히어로는
우리 아이들이 밝고 건강한 내일을 꿈꿀 수 있도록
긍정적이고 효과적인 교육 서비스를 제공하는 것을
최우선 목표로 하고 있습니다.

그 존재만으로도 든든한 히어로처럼 아이들의 곁에서 힘이 되어주고,
나아가 아이들 각자가 스스로의 인생 속 히어로가 될 수 있도록

우리는 진심과 열정을 다해 아이들과 함께 할 것을 약속 드립니다.

히어로컨텐츠 HEROCONTENTS

발행일: 2025년 1월   **발행인**: 김혜원

기획개발: 두줄수학연구소

디자인: 4BD STUDIO   **삽화**: 1000DAY

발행처: 히어로컨텐츠

주소: 경기도 과천시 관문대로92, 101동 1509호(중앙동, 힐스테이트과천중앙)

전화: 02-862-2220   **팩스**: 02-862-2227

지원카페: cafe.naver.com/eduherocafe   **인스타그램**: @edu__hero   **카카오톡**: 에듀히어로

하루 한 장 60일 집중 완성 교과도형은 ⋯⋯⋯⋯⋯⋯⋯⋯⋯⋯⋯⋯⋯⋯⋯⋯⋯⋯⋯⋯⋯

달라진 교과서와 학교 수업 진도에 맞추어 학습자가 체계적으로 도형을 학습할 수 있도록 안내합니다.

이전의 도형 학습이 도형의 정의와 성질을 외우고, 도형의 측정결과를 계산하는 '결과' 중심의 학습이었다면 지금의 도형 학습은 공간에 대한 이해와 해석(공간감각)을 바탕으로 모양을 인식하고 변화를 유추하고 다양한 방법으로 도형을 측정하고 그 결과를 표현하는 '과정' 중심의 학습입니다.

교과도형은 수학교육의 변화와 핵심을 이해하고 올바른 방향을 제시해 주는 든든한 길잡이가 될 것입니다.

하루 한 장 60일 집중 완성 교과도형은 ⋯⋯⋯⋯⋯⋯⋯⋯⋯⋯⋯⋯⋯⋯⋯⋯⋯⋯⋯⋯⋯

① 공간감각 ② 도형표현 ③ 도형측정을 중심으로 교과서에서 다루는 모든 도형을 체계적으로 학습합니다.

공간감각

도형을 효과적으로 학습하기 위해서는 공간을 이해하고 해석하는 능력, 즉 '공간감각'이 필요합니다.

공간감각은 경험과 상상력을 바탕으로 머릿속에서 도형을 조작하고 결과를 유추하는 능력입니다. 공간감각은 단시간에 길러지지 않으므로 어릴 때부터 꾸준하게 학습하고 구체적인 경험을 쌓는 것이 중요합니다.

'교과도형'의 각 권 마지막에 있는 '도형플러스'는 각 권의 학습목표와 연계하여 공간감각을 한 단계 더 높여줄 수 있는 내용으로 구성하였습니다.

도형표현

공간에 존재하는 도형은 표현되었을 때 더 큰 의미를 가집니다.

- 삼각형을 찾는 것에서 그치지 않고 다양한 삼각형을 직접 그려 보고 왜 삼각형인지 설명하는 것
- 쌓기나무로 만든 모양을 위치와 방향을 이용하여 설명하는 것
- 도형을 여러 가지 기준과 특징에 따라 분류하고 왜 그렇게 분류했는지 설명하는 것
- 도형을 위·앞·옆에서 바라보고 그 모습을 그림으로 표현하는 것 등이 모두 '도형표현'입니다.

'교과도형'은 도형과 관련한 작은 그림에서부터 서술형 문장제까지 도형을 표현하는 다양한 방법을 효과적으로 학습합니다.

도형측정

측정은 도형과 아주 밀접한 관계가 있으므로 도형을 학습하면서 반드시 함께 다루어야 하는 영역입니다.

길이, 각도, 둘레, 넓이, 부피 등 흔히 '도형' 영역이라 생각하는 것이 사실 초등 교육과정에서는 '측정' 영역에 해당합니다. 사각형을 학습하는 것은 도형이지만 사각형의 둘레와 넓이를 구하는 것은 측정입니다. 각의 종류를 학습하는 것은 도형이지만 각도를 재는 것은 측정입니다. 이처럼 길이, 각도, 둘레, 넓이, 부피 등은 결국 도형을 측정하는 것입니다.

'교과도형'은 교과서의 모든 '도형' 영역을 다루었습니다. 여기에 도형과 반드시 연계하여 학습해야 하는 '측정' 영역을 추가로 다루어 더욱 완성된 도형 학습을 할 수 있도록 도와줍니다.

하루 한 장 60일 집중 완성 교과도형은 ···

7세부터 6학년까지 총 7단계 21권(단계별 3권)으로 구성되어 있으며 각 권은 매일 한 장씩 4주간 체계적으로 학습할 수 있습니다.

1권, 20일

2권, 20일

3권, 20일

대 상	단 계	구 성
7세 ~ 1학년	P	P1, P2, P3
1학년	A	A1, A2, A3
2학년	B	B1, B2, B3
3학년	C	C1, C2, C3
4학년	D	D1, D2, D3
5학년	E	E1, E2, E3
6학년	F	F1, F2, F3

교과도형의 각 단계는 1, 2, 3권을 차례대로 학습합니다.

교과도형, 한 권이면 충분합니다

교과도형은 공간감각, 도형표현, 도형측정을 중심으로 교과서에서 다루는 모든 도형을 학습하고,
공간감각 향상을 위한 '도형플러스'와 학습 결과를 확인하는 '형성평가'를 제공합니다.

1 주차별 학습

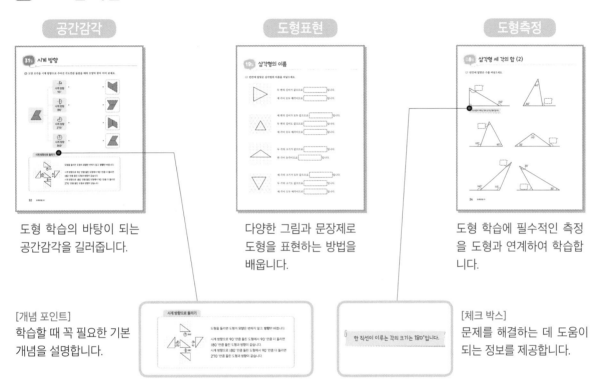

공간감각

도형표현

도형측정

도형 학습의 바탕이 되는
공간감각을 길러줍니다.

다양한 그림과 문장제로
도형을 표현하는 방법을
배웁니다.

도형 학습에 필수적인 측정
을 도형과 연계하여 학습합
니다.

[개념 포인트]
학습할 때 꼭 필요한 기본
개념을 설명합니다.

[체크 박스]
문제를 해결하는 데 도움이
되는 정보를 제공합니다.

2 도형플러스

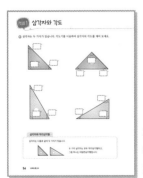

각 권의 학습 주제와
연계하여 공간감각을
더욱 향상시킵니다.

3 형성평가

학습한 내용을 다시 한 번
복습하고 정리합니다.

이 책의
차례

1주차	밀기	07
2주차	뒤집기	19
3주차	돌리기	31
4주차	뒤집고 돌리기	43
도형플러스	글자와 숫자의 이동	55
형성평가		63

1주차
21~25일

밀기

21일 왼쪽과 오른쪽 ································· 08

22일 위쪽과 아래쪽 ································· 10

23일 주어진 만큼 밀기 (1) ················· 12

24일 주어진 만큼 밀기 (2) ················· 14

25일 조각 맞추기와 꺼내기 ············· 16

21일 왼쪽과 오른쪽

🔲 모양 조각을 주어진 방향으로 밀었을 때의 모양에 ◯표 하세요.

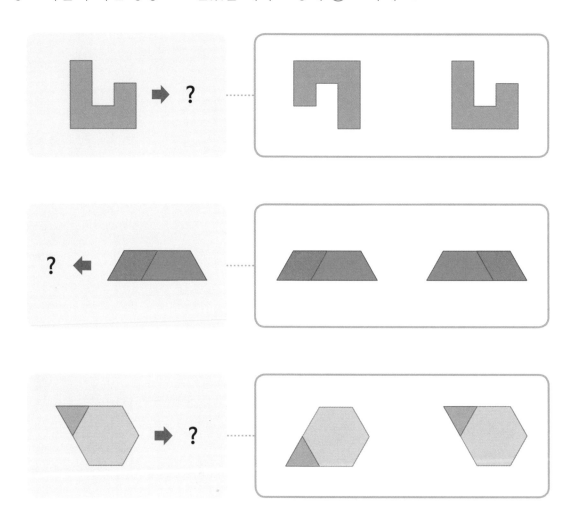

도형 밀기

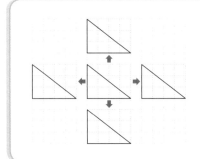

도형을 밀면 도형의 **모양**은 변하지 않고, **위치**만 바뀝니다.

왼쪽, 오른쪽, 위쪽, 아래쪽으로 밀었을 때의 도형의 방향이 모두 같습니다.

도형을 왼쪽으로 밀었을 때와 오른쪽으로 밀었을 때의 도형을 각각 그려 보세요.

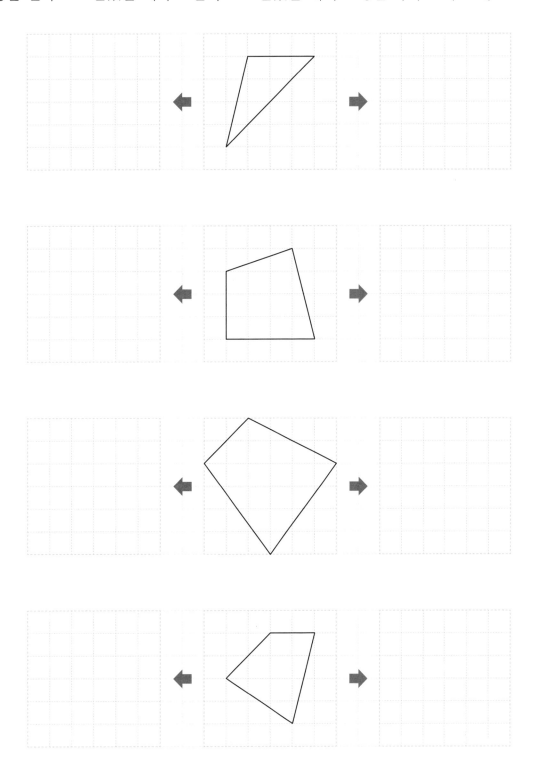

위쪽과 아래쪽

⏸ 모양 조각을 주어진 방향으로 밀었을 때의 모양에 ◯표 하세요.

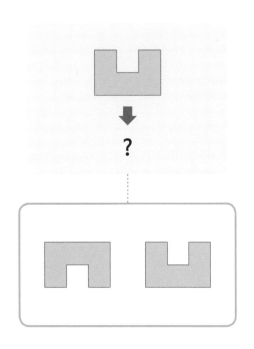

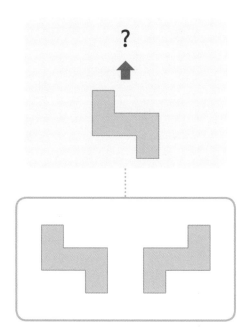

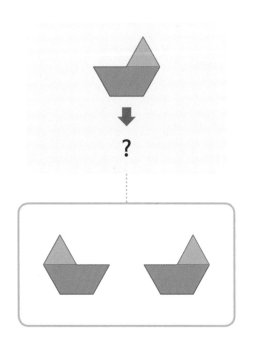

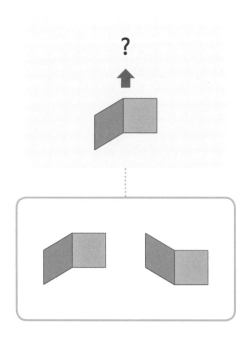

11 도형을 위쪽으로 밀었을 때와 아래쪽으로 밀었을 때의 도형을 각각 그려 보세요.

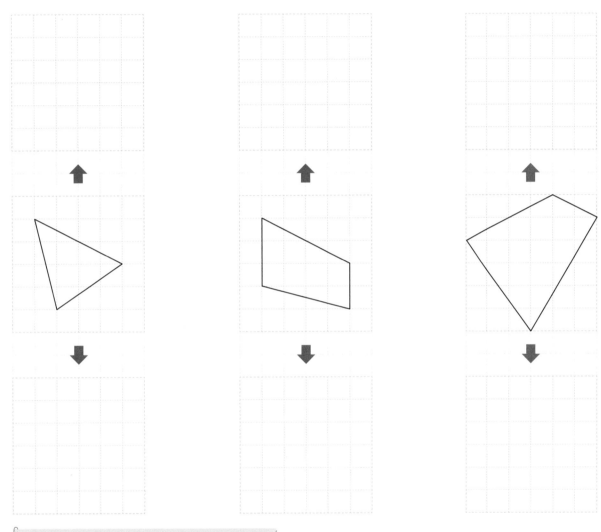

도형을 어느쪽으로 밀어도 도형의 모양은 변하지 않습니다.

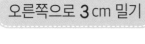

주어진 만큼 밀기 (1)

🔢 한 칸이 1cm인 모눈입니다. 주어진 만큼 밀었을 때의 도형을 그려 보세요.

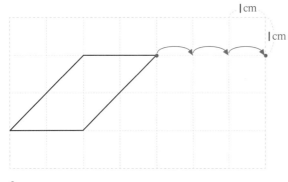

오른쪽으로 **3**cm 밀기

기준이 되는 꼭짓점을 정하여 밀어 봅니다.

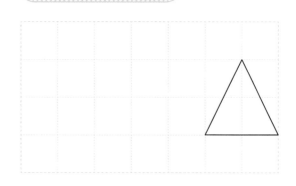

왼쪽으로 **4**cm 밀기

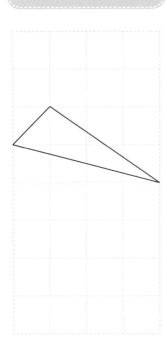

아래쪽으로 **3**cm 밀기

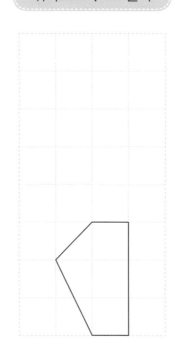

위쪽으로 **4**cm 밀기

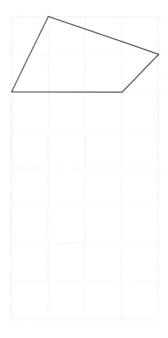

아래쪽으로 **5**cm 밀기

한 칸이 1cm인 모눈입니다. 빈칸에 알맞은 말 또는 수를 써넣으세요.

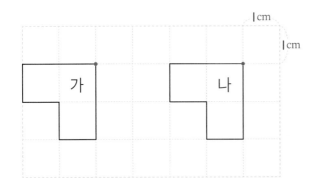

가 도형을 ☐쪽으로 ☐cm
밀면 나 도형이 됩니다.

가 도형을 ☐쪽으로 ☐cm
밀면 나 도형이 됩니다.

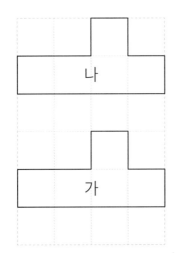

가 도형을 ☐쪽으로 ☐cm
밀면 나 도형이 됩니다.

가 도형을 ☐쪽으로 ☐cm
밀면 나 도형이 됩니다.

한 칸이 1 cm인 모눈입니다. 주어진 만큼 밀었을 때의 도형을 그려 보세요.

오른쪽으로 **5** cm 밀고,
아래쪽으로 **1** cm 밀기

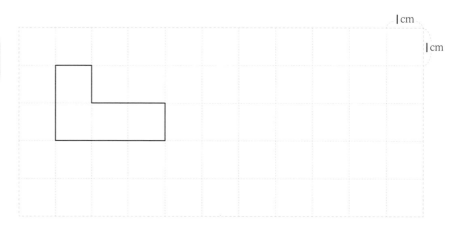

왼쪽으로 **6** cm 밀고,
아래쪽으로 **2** cm 밀기

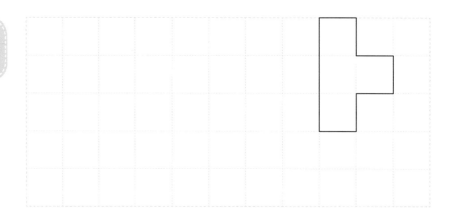

위쪽으로 **3** cm 밀고,
오른쪽으로 **4** cm 밀기

🇳 한 칸이 I cm인 모눈입니다. 빈칸에 알맞은 말 또는 수를 써넣으세요.

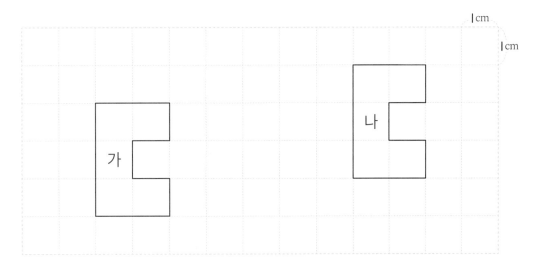

가 도형을 [   ]쪽으로 [   ]cm 밀고, [   ]쪽으로 [   ]cm 밀면 나 도형이 됩니다.

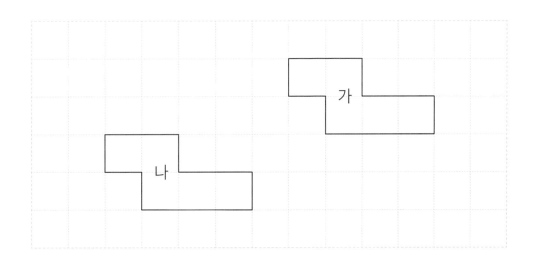

가 도형을 [   ]쪽으로 [   ]cm 밀고, [   ]쪽으로 [   ]cm 밀면 나 도형이 됩니다.

조각 맞추기와 꺼내기

🔊 조각을 밀어서 직사각형 모양을 완성하려고 합니다. 빈칸에 알맞은 말 또는 수를 써넣으세요.

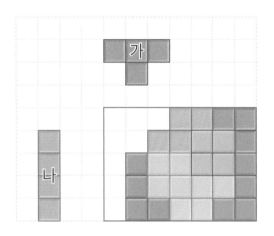

조각 가를 [ ] 쪽으로 [ ] 칸 밉니다.

조각 나를 [ ] 쪽으로 [ ] 칸 밉니다.

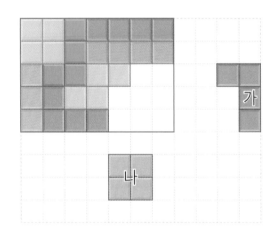

조각 가를 [ ] 쪽으로 [ ] 칸 밉니다.

조각 나를 [ ] 쪽으로 [ ] 칸 밉니다.

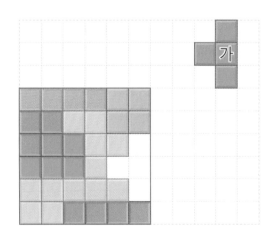

조각 가를 [ ] 쪽으로 [ ] 칸 밀고,

[ ] 쪽으로 [ ] 칸 밉니다.

11 조각을 밀어서 빨간색 조각을 도착으로 보내려고 합니다. 빈칸에 알맞은 말 또는 수를 써넣으세요.

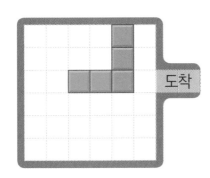

① 보라색 조각을 ☐ 쪽으로 ☐ 칸 밉니다.

② 빨간색 조각을 ☐ 쪽으로 ☐ 칸 밉니다.

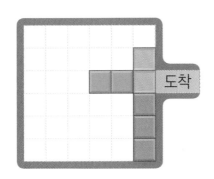

① ☐ 색 조각을 ☐ 쪽으로 ☐ 칸 밉니다.

② 빨간색 조각을 ☐ 쪽으로 ☐ 칸 밉니다.

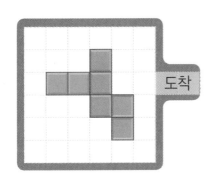

① ☐ 색 조각을 ☐ 쪽으로 ☐ 칸 밉니다.

② 빨간색 조각을 ☐ 쪽으로 ☐ 칸 밉니다.

조각을 밀어서 빨간색 조각을 도착으로 보내려고 합니다. 빈칸에 알맞은 말 또는 수를 써넣으세요.

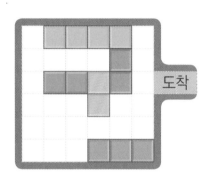

① 초록색 조각을 [   ]쪽으로 [   ]칸 밉니다.

② 보라색 조각을 [   ]쪽으로 [   ]칸 밉니다.

③ 빨간색 조각을 [   ]쪽으로 [   ]칸 밉니다.

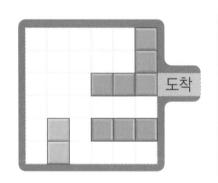

① [   ]색 조각을 [   ]쪽으로 [   ]칸 밉니다.

② [   ]색 조각을 [   ]쪽으로 [   ]칸 밉니다.

③ 빨간색 조각을 [   ]쪽으로 [   ]칸 밉니다.

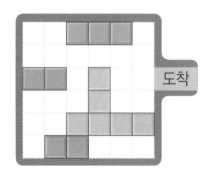

① [   ]색 조각을 [   ]쪽으로 [   ]칸 밉니다.

② [   ]색 조각을 [   ]쪽으로 [   ]칸 밉니다.

③ 빨간색 조각을 [   ]쪽으로 [   ]칸 밉니다.

2주차
26~30일

뒤집기

※ 교재 뒤쪽 투명 필름 활동지를 이용해 보세요.

26일 왼쪽과 오른쪽 ················· 20

27일 위쪽과 아래쪽 ················· 22

28일 뒤집은 모양 ················· 24

29일 뒤집기 전의 도형 ················· 26

30일 여러 번 뒤집기 ················· 28

26일 왼쪽과 오른쪽

모양 조각을 주어진 방향으로 뒤집었을 때의 모양에 ○표 하세요.

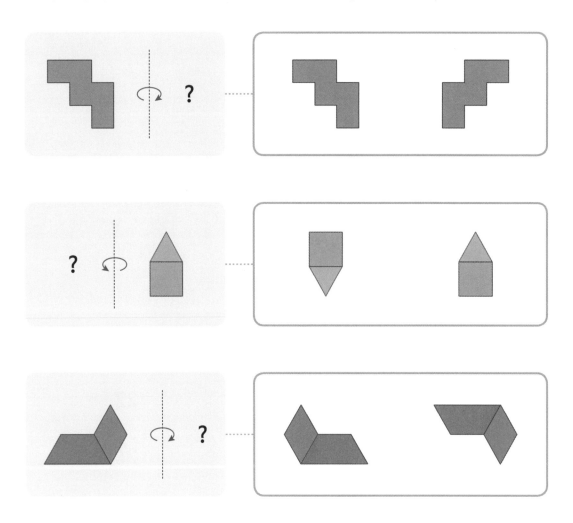

도형 뒤집기

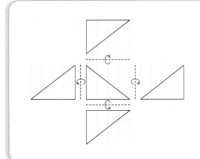

도형을 뒤집으면 도형의 **모양**은 변하지 않고, **방향**만 바뀝니다.

왼쪽으로 뒤집은 도형과 오른쪽으로 뒤집은 도형의 방향이 같습니다.
위쪽으로 뒤집은 도형과 아래쪽으로 뒤집은 도형의 방향이 같습니다.

도형을 왼쪽으로 뒤집었을 때와 오른쪽으로 뒤집었을 때의 도형을 각각 그려 보세요.

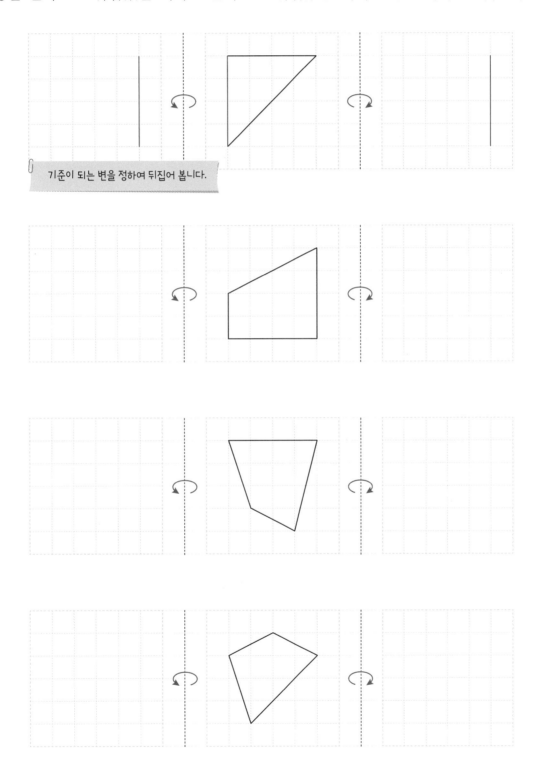

기준이 되는 변을 정하여 뒤집어 봅니다.

27일 위쪽과 아래쪽

모양 조각을 주어진 방향으로 뒤집었을 때의 모양에 ○표 하세요.

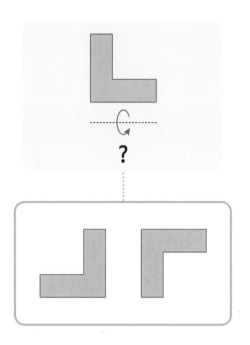

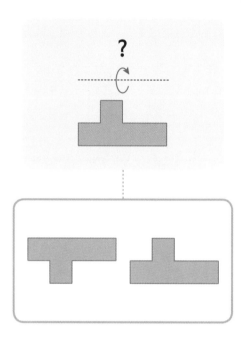

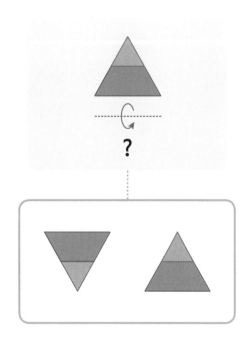

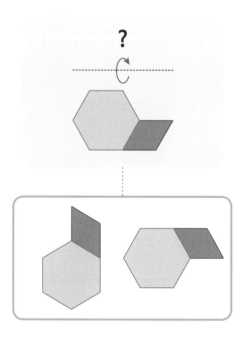

도형을 위쪽으로 뒤집었을 때와 아래쪽으로 뒤집었을 때의 도형을 각각 그려 보세요.

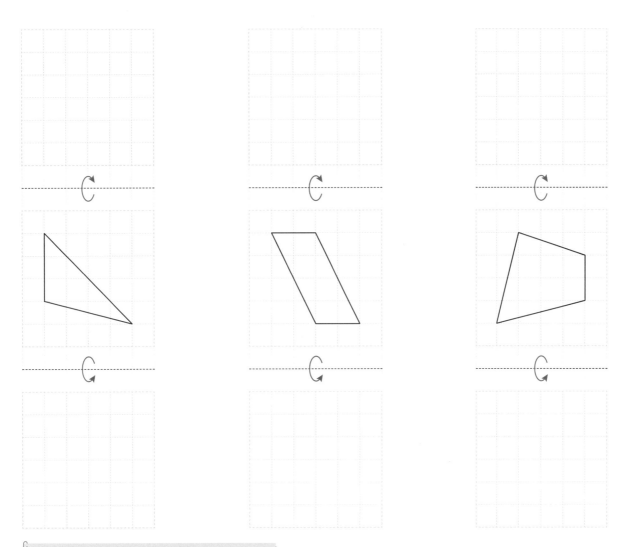

왼쪽과 오른쪽으로 뒤집은 도형의 방향이 서로 같고,
위쪽과 아래쪽으로 뒤집은 도형의 방향이 서로 같습니다.

뒤집은 모양

🔘 투명 필름 위에 모양을 그렸습니다. 모양을 한 번 뒤집어서 나올 수 있는 것에 모두 ○표 하세요.

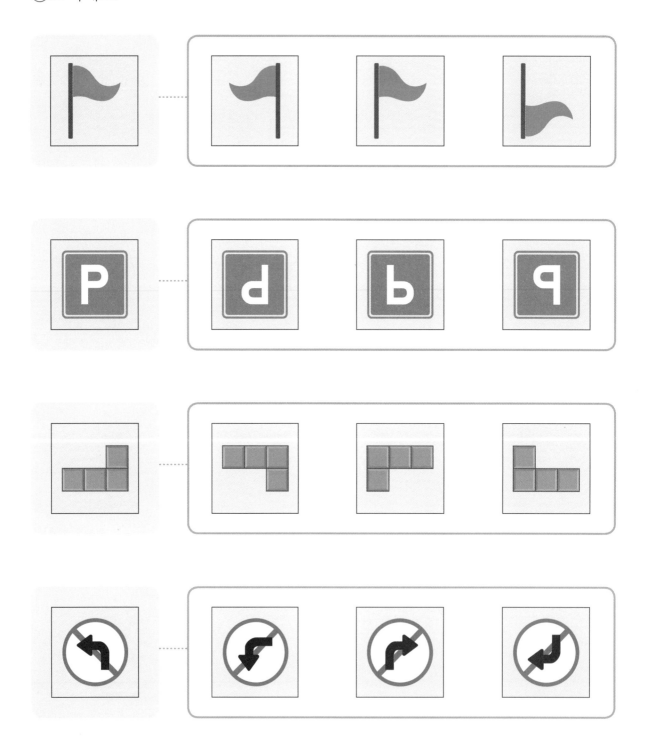

11 투명 필름 위에 모양을 그렸습니다. 물음에 답하세요.

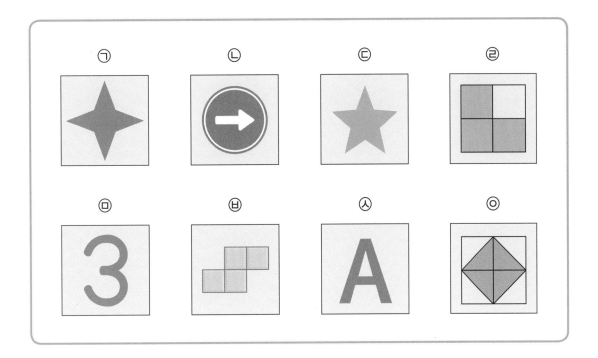

오른쪽으로 뒤집어도 처음 모양과 방향이 같은 것의 기호를 모두 써 보세요.

(   )

아래쪽으로 뒤집어도 처음 모양과 방향이 같은 것의 기호를 모두 써 보세요.

(   )

뒤집기 전의 도형

⑪ 빈칸에 알맞은 기호를 써넣고, 알맞은 말에 ◯표 하세요.

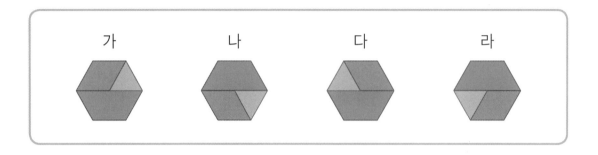

가　　나　　다　　라

모양 **가**를 오른쪽으로 뒤집으면 모양 ☐ 가 됩니다.

모양 **다**를 왼쪽으로 뒤집으면 모양 ☐ 가 됩니다.

모양 **라**를 (왼쪽 , 아래쪽)으로 뒤집으면 모양 **다**가 됩니다.

모양 **다**를 (오른쪽 , 위쪽)으로 뒤집으면 모양 **라**가 됩니다.

모양 ☐ 를 위쪽으로 뒤집으면 모양 **가**가 됩니다.

모양 ☐ 를 아래쪽으로 뒤집으면 모양 **나**가 됩니다.

💬 물음에 답하세요.

어떤 도형을 아래쪽으로 뒤집었더니 다음과 같았습니다. 뒤집기 전 도형을 그려 보세요.

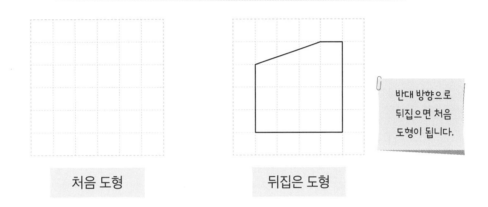

처음 도형

뒤집은 도형

반대 방향으로 뒤집으면 처음 도형이 됩니다.

어떤 도형을 왼쪽으로 뒤집었더니 다음과 같았습니다. 뒤집기 전 도형을 그려 보세요.

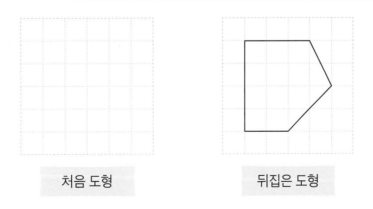

처음 도형

뒤집은 도형

여러 번 뒤집기

도형을 왼쪽 또는 오른쪽으로 계속 뒤집었을 때의 도형을 그려 보세요.

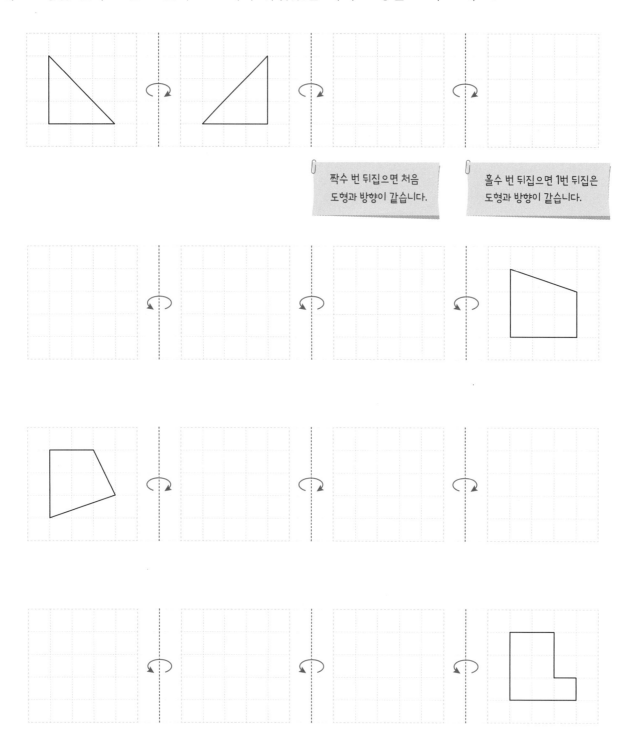

짝수 번 뒤집으면 처음 도형과 방향이 같습니다.

홀수 번 뒤집으면 1번 뒤집은 도형과 방향이 같습니다.

도형을 아래쪽 또는 위쪽으로 계속 뒤집었을 때의 도형을 그려 보세요.

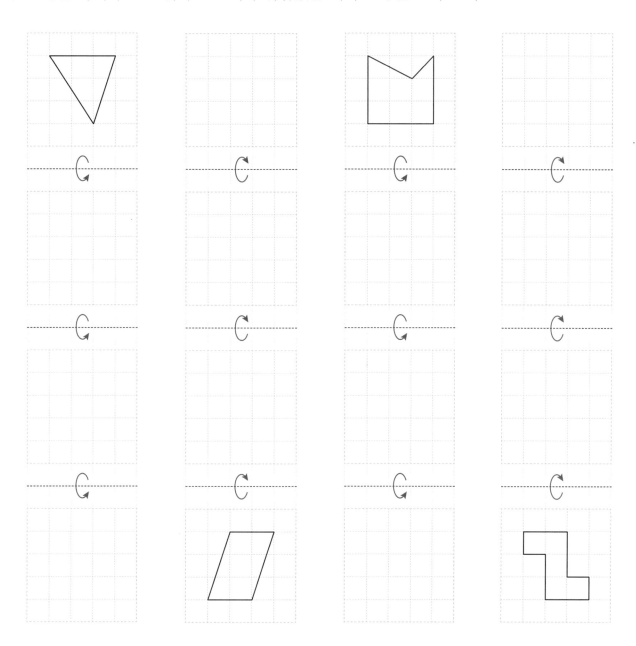

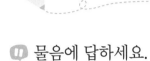

💬 물음에 답하세요.

주어진 도형을 오른쪽으로 **4**번 뒤집었을 때의 도형을 그려 보세요.

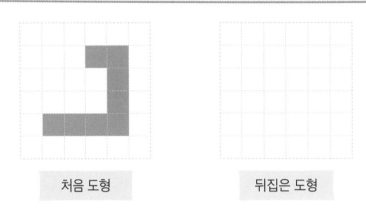

처음 도형   뒤집은 도형

주어진 도형을 아래쪽으로 **5**번 뒤집었을 때의 도형을 그려 보세요.

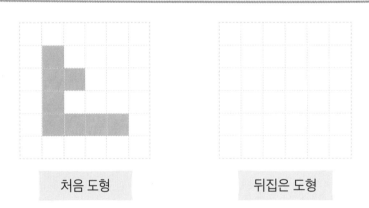

처음 도형   뒤집은 도형

3주차
31~35일

돌리기

※ 교재 뒤쪽 투명 필름 활동지를 이용해 보세요.

31일 시계 방향 ·················· 32

32일 시계 반대 방향 ·················· 34

33일 방향이 같은 도형 ·················· 36

34일 도형을 돌린 방법 ·················· 38

35일 돌리기 전의 도형 ·················· 40

시계 방향

🎵 모양 조각을 시계 방향으로 주어진 각도만큼 돌렸을 때의 모양의 찾아 이어 보세요.

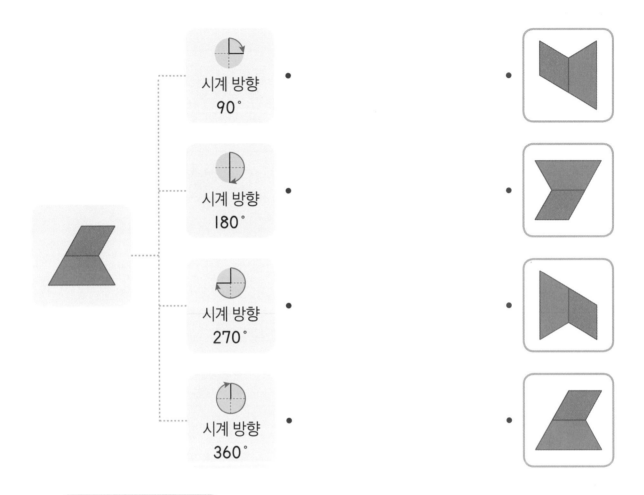

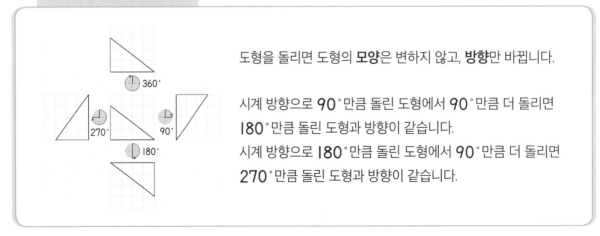

시계 방향으로 돌리기

도형을 돌리면 도형의 **모양**은 변하지 않고, **방향**만 바뀝니다.

시계 방향으로 90°만큼 돌린 도형에서 90°만큼 더 돌리면 180°만큼 돌린 도형과 방향이 같습니다.
시계 방향으로 180°만큼 돌린 도형에서 90°만큼 더 돌리면 270°만큼 돌린 도형과 방향이 같습니다.

11 도형을 시계 방향으로 주어진 만큼 돌렸을 때의 도형을 각각 그려 보세요.

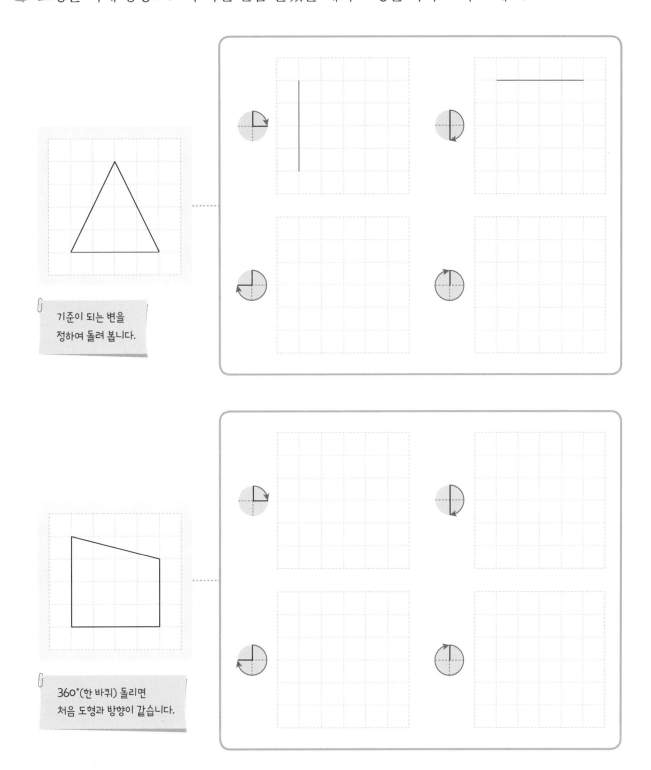

기준이 되는 변을
정하여 돌려 봅니다.

360°(한 바퀴) 돌리면
처음 도형과 방향이 같습니다.

시계 반대 방향

🕚 모양 조각을 시계 반대 방향으로 주어진 각도만큼 돌렸을 때의 모양의 찾아 이어 보세요.

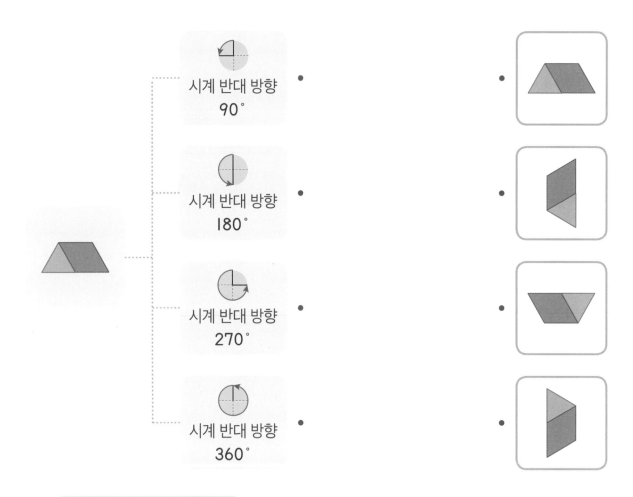

시계 반대 방향으로 돌리기

시계 반대 방향으로 **90°**만큼 돌린 도형에서 **90°**만큼 더 돌리면 **180°**만큼 돌린 도형과 방향이 같습니다.

시계 반대 방향으로 **180°**만큼 돌린 도형에서 **90°**만큼 더 돌리면 **270°**만큼 돌린 도형과 방향이 같습니다.

🔟 도형을 시계 반대 방향으로 주어진 만큼 돌렸을 때의 도형을 각각 그려 보세요.

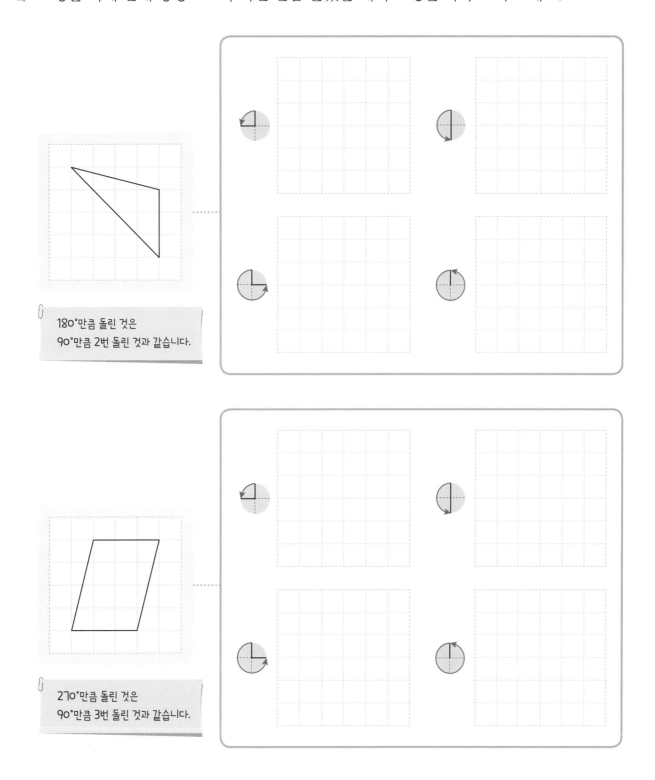

180°만큼 돌린 것은
90°만큼 2번 돌린 것과 같습니다.

270°만큼 돌린 것은
90°만큼 3번 돌린 것과 같습니다.

방향이 같은 도형

🔢 도형을 시계 반대 방향과 시계 방향으로 주어진 만큼 돌린 도형을 각각 그려 보세요.

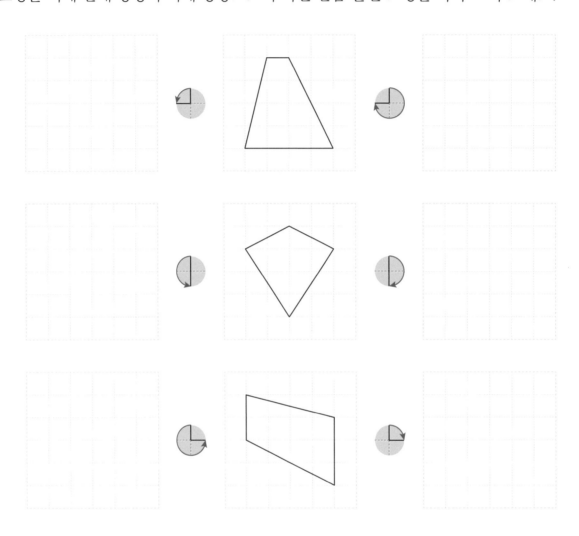

돌린 방향이 같은 도형

시계 방향으로 270°만큼 돌린 도형을 그릴 때는 시계 반대 방향으로 90°만큼 돌린 도형을 그리는 것이 더 편리합니다. 마찬가지로 시계 반대 방향으로 270°만큼 돌린 도형을 그릴 때는 시계 방향으로 90°만큼 돌린 도형을 그리는 것이 더 편리합니다.

11 위쪽 도형을 주어진 만큼 돌린 도형을 아래쪽에 그려 보세요.

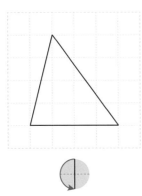

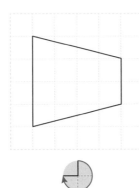

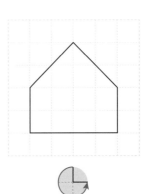

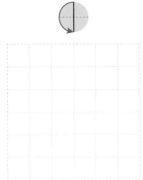

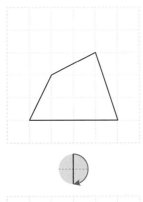

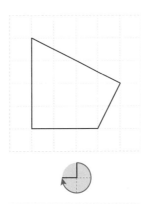

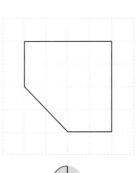

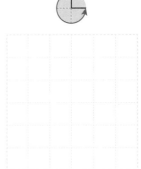

도형을 돌린 방법

💬 주어진 말 중에서 알맞은 것을 골라 써넣어 도형을 돌린 방법을 두 가지로 설명해 보세요.

시계	시계 반대	90	180	270	360

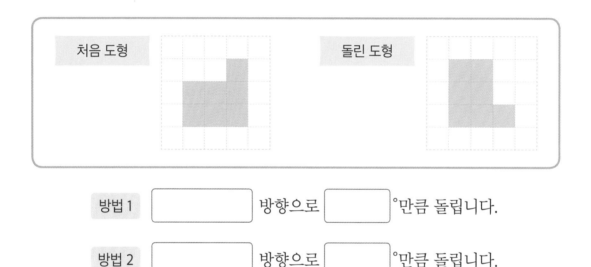

처음 도형　　　　　　　돌린 도형

방법 1 ☐ 방향으로 ☐ °만큼 돌립니다.

방법 2 ☐ 방향으로 ☐ °만큼 돌립니다.

처음 도형　　　　　　　돌린 도형

방법 1 ☐ 방향으로 ☐ °만큼 돌립니다.

방법 2 ☐ 방향으로 ☐ °만큼 돌립니다.

⚠ 빈칸에 알맞은 기호를 써넣고, 알맞은 말에 ◯표 하세요.

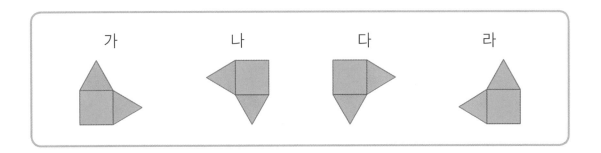

모양 **가**를 시계 방향으로 **90°**만큼 돌리면 모양 ◻ 가 됩니다.

모양 **나**를 시계 방향으로 **180°**만큼 돌리면 모양 ◻ 가 됩니다.

모양 **라**를 시계 반대 방향으로 **180°**만큼 돌리면 모양 ◻ 가 됩니다.

모양 **나**를 시계 반대 방향으로 **270°**만큼 돌리면 모양 ◻ 가 됩니다.

모양 **다**를 시계 방향으로 (**90°** , **180°** , **270°**)만큼 돌리면 모양 가가 됩니다.

모양 **가**를 시계 반대 방향으로 (**90°** , **180°** , **270°**)만큼 돌리면 모양 라가 됩니다.

💬 오른쪽 도형을 어떻게 돌리면 왼쪽 도형이 되는지 돌린 방법을 찾아 ◯표 하세요.

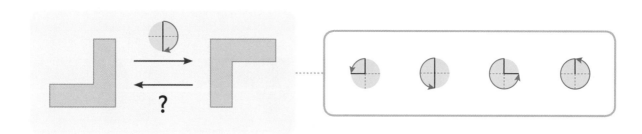

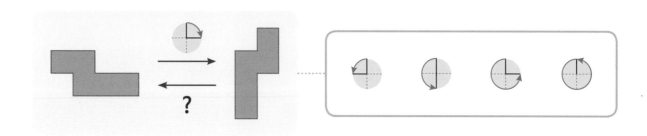

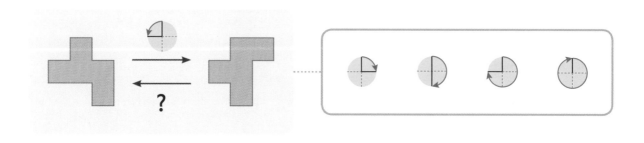

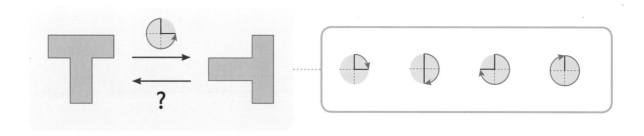

📣 물음에 답하세요.

어떤 도형을 시계 방향으로 **90°**만큼 돌렸더니 다음과 같았습니다. 돌리기 전 도형을 그려 보세요.

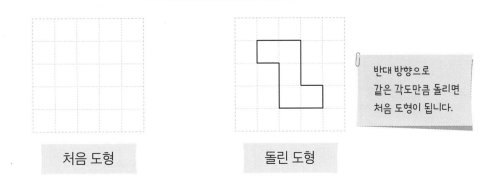

처음 도형

돌린 도형

반대 방향으로
같은 각도만큼 돌리면
처음 도형이 됩니다.

어떤 도형을 시계 반대 방향으로 **270°**만큼 돌렸더니 다음과 같았습니다. 돌리기 전 도형을 그려 보세요.

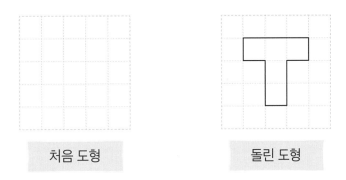

처음 도형

돌린 도형

물음에 답하세요.

어떤 도형을 시계 방향으로 90°만큼 돌려야 할 것을 잘못하여 시계 반대 방향으로 90°만큼 돌렸습니다. 처음 도형과 바르게 돌린 도형을 각각 그려 보세요.

잘못 돌린 도형   처음 도형   바르게 돌린 도형

도형을 알맞게 그렸는지 검토해 봅니다.

어떤 도형을 시계 반대 방향으로 90°만큼 돌려야 할 것을 잘못하여 시계 방향으로 90°만큼 돌렸습니다. 처음 도형과 바르게 돌린 도형을 각각 그려 보세요.

잘못 돌린 도형   처음 도형   바르게 돌린 도형

뒤집고 돌리기

※ 교재 뒤쪽 투명 필름 활동지를 이용해 보세요.

36일 뒤집고 뒤집기 44

37일 돌리고 돌리기 46

38일 뒤집고 돌리기 48

39일 여러 번 뒤집고 돌리기 50

40일 움직이는 방법 52

뒤집고 뒤집기

🎵 도형을 주어진 방향으로 뒤집었을 때의 도형을 차례로 그려 보세요.

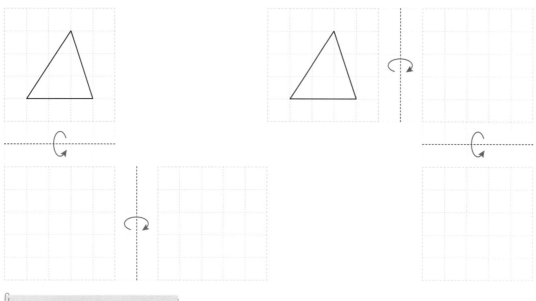

> 뒤집는 순서가 달라도 방법이 같으면
> 뒤집은 도형의 방향이 같습니다.

11 모양 조각을 주어진 방향으로 순서대로 뒤집었을 때의 모양에 ◯표 하세요.

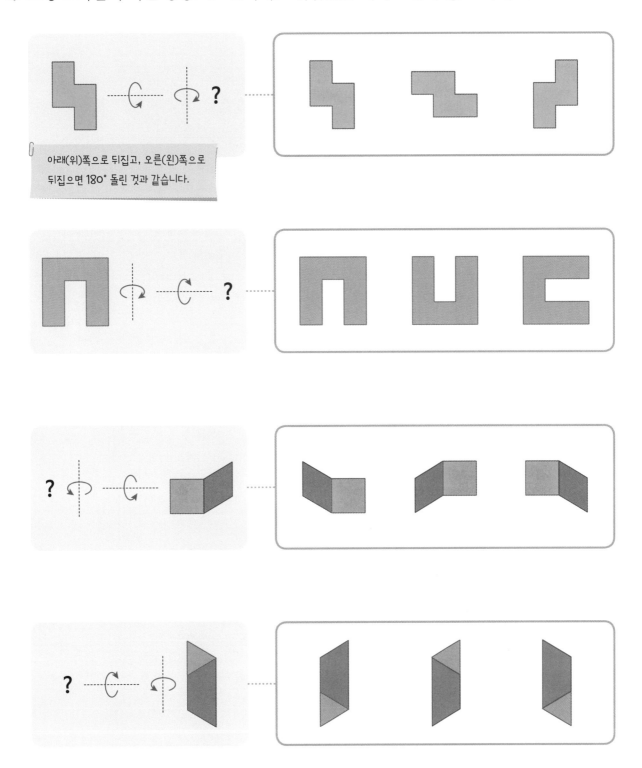

돌리고 돌리기

⏸ 도형을 주어진 만큼으로 돌렸을 때의 도형을 차례로 그려 보세요.

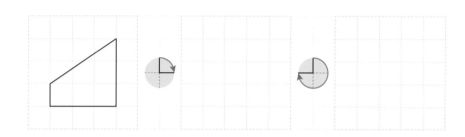

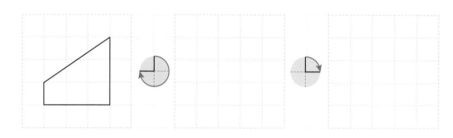

> 돌리는 순서가 달라도 방법이 같으면
> 돌린 도형의 방향이 같습니다.

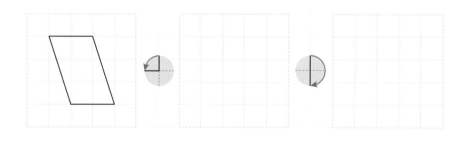

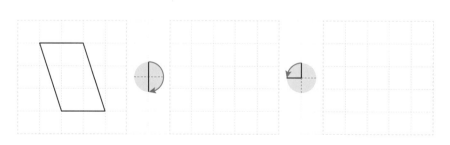

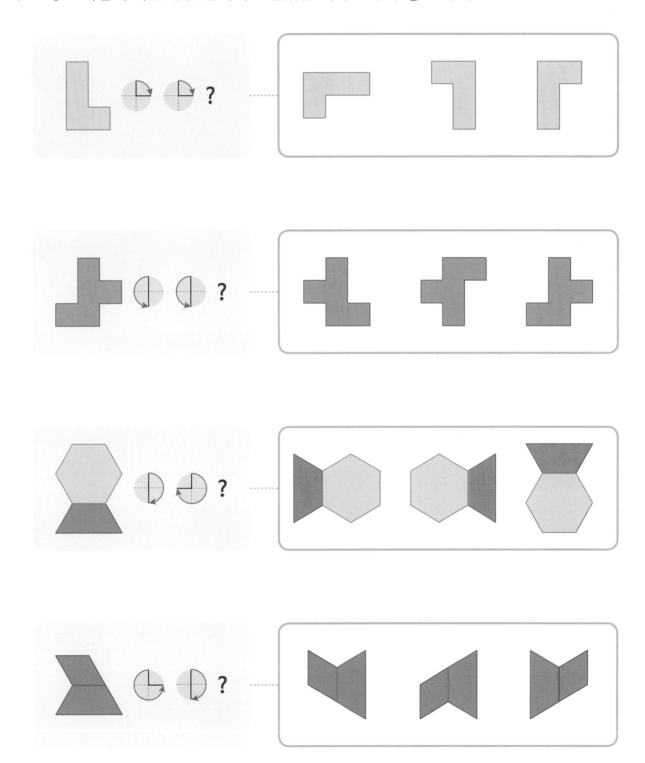

모양 조각을 주어진 만큼 순서대로 돌렸을 때의 모양에 ◯표 하세요.

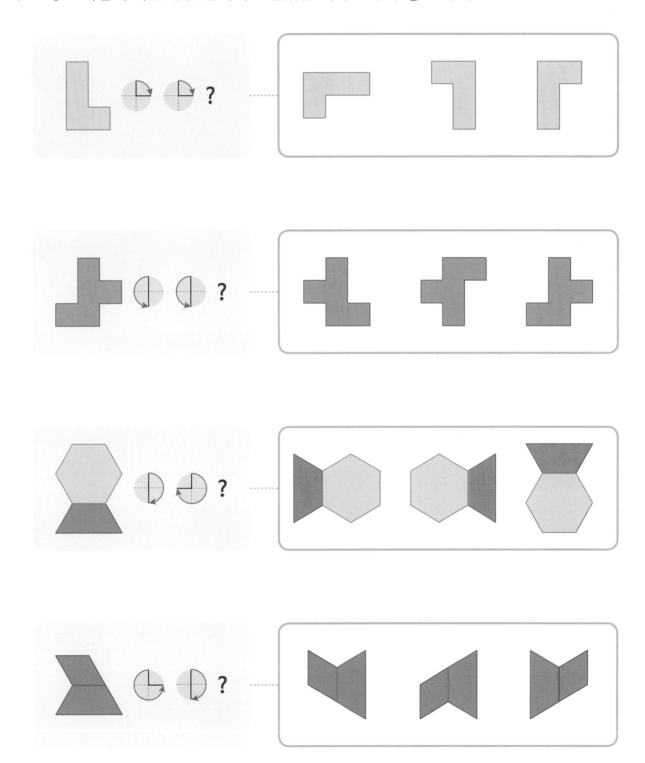

뒤집고 돌리기

11 도형을 다음과 같이 움직였을 때의 도형을 차례로 그려 보세요.

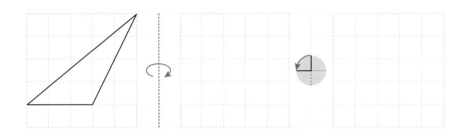

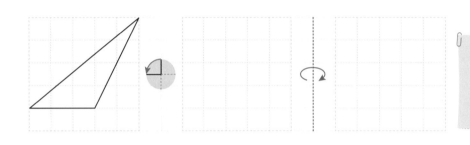

뒤집고 돌린 방법이
같아도 순서가 다르면
도형의 방향이
달라질 수 있습니다.

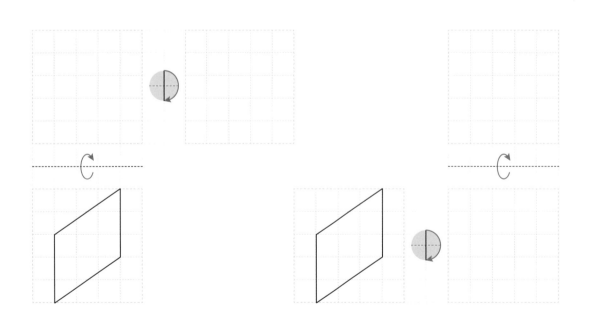

모양 조각을 다음과 같이 순서대로 움직였을 때의 모양에 ◯표 하세요.

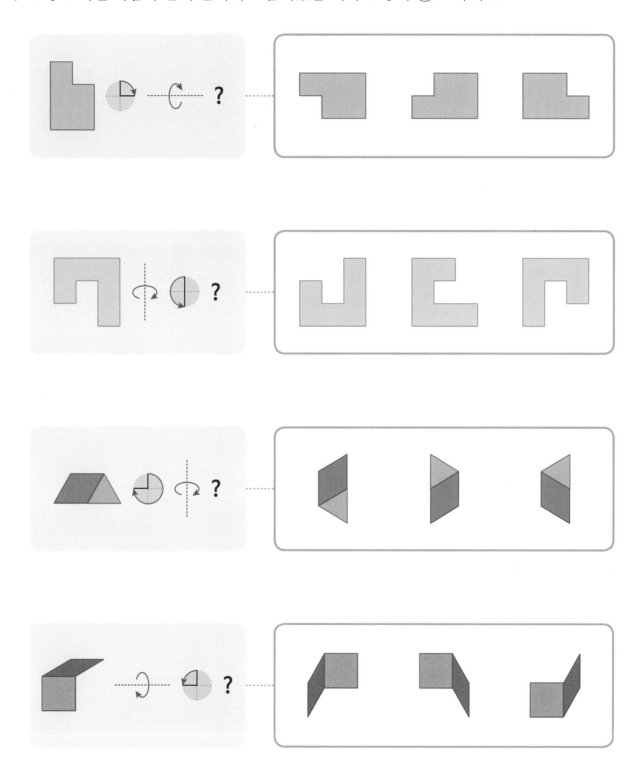

여러 번 뒤집고 돌리기

도형을 다음과 같이 움직였을 때의 도형을 차례로 그려 보세요.

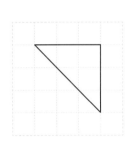

왼쪽으로
2번 뒤집기

→

시계 방향으로
90°만큼
2번 돌리기

→

시계 방향으로
180°만큼
2번 돌리기

→

아래쪽으로
3번 뒤집기

→

오른쪽으로
3번 뒤집기

→

시계 방향으로
180°만큼
3번 돌리기

→

시계 반대 방향
으로 90°만큼
3번 돌리기

→

위쪽으로
4번 뒤집기

→

물음에 답하여 알맞은 말에 ◯표 하고, 움직인 도형을 그려 보세요.

어떤 도형을 위쪽으로 **3**번 뒤집고, 시계 반대 방향으로 **180°**만큼 **2**번 돌렸을 때의 도형을 그려 보세요.

처음 도형

움직인 도형

위쪽으로 (뒤집지 않고 , I번 뒤집고),

시계 반대 방향으로 (I80 , 360)°만큼 돌린 도형과 같습니다.

어떤 도형을 시계 방향으로 **90°**만큼 **2**번 돌리고, 왼쪽으로 **2**번 뒤집었을 때의 도형을 그려 보세요.

처음 도형

움직인 도형

시계 방향으로 (I80 , 270)°만큼 돌리고,

왼쪽으로 (뒤집지 않은 , I번 뒤집은) 도형과 같습니다.

① 도형을 움직였습니다. 알맞은 말에 ○표 하세요.

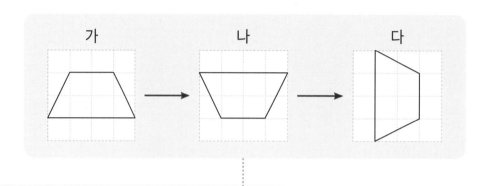

도형 가를 (오른 , 아래)쪽으로 뒤집으면 도형 나가 되고,

도형 나를 (시계 , 시계 반대) 방향으로 **90°**만큼 돌리면 도형 다가 됩니다.

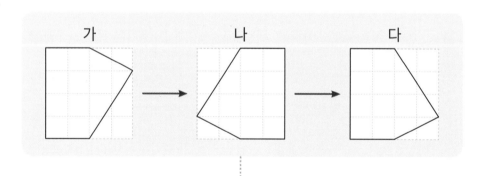

도형 가를 시계 방향으로 (**90** , **180**)°만큼 돌리면 도형 나가 되고,

도형 나를 (왼 , 위)쪽으로 뒤집으면 도형 다가 됩니다.

모양 조각을 움직여서 빈 곳을 채웁니다. 빈칸에 알맞은 말 또는 수를 써넣으세요.

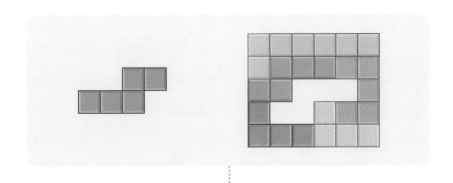

방법 1 조각을 오른쪽으로 뒤집고, [   ]쪽으로 뒤집습니다.

방법 2 조각을 시계 방향으로 [   ]°만큼 돌립니다.

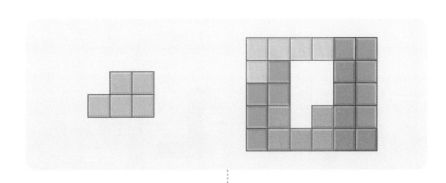

방법 1 조각을 아래쪽으로 뒤집고, 시계 반대 방향으로 [   ]°만큼 돌립니다.

방법 2 조각을 시계 방향으로 **90**°만큼 돌리고, [   ]쪽으로 뒤집습니다.

뮤 다음과 같이 글자를 움직이는 방법을 두 가지로 설명해 보세요.

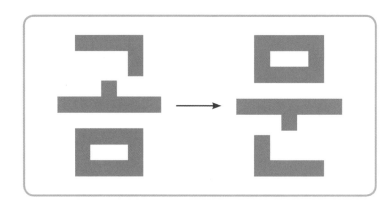

방법 1

방법 2

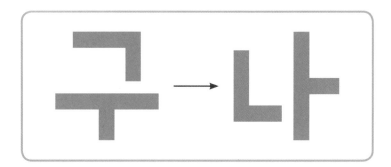

방법 1

방법 2

도형 플러스+

- 글자와 숫자의 이동 -

PLUS **1** 도장 찍기 ···························· 56

PLUS **2** 숫자 움직이기 (1) ················ 58

PLUS **3** 숫자 움직이기 (2) ················ 60

도장을 찍어서 왼쪽의 글자가 나오려면 도장에 어떤 모양을 새겨야 하는지 알맞은 것에 ○표 하세요.

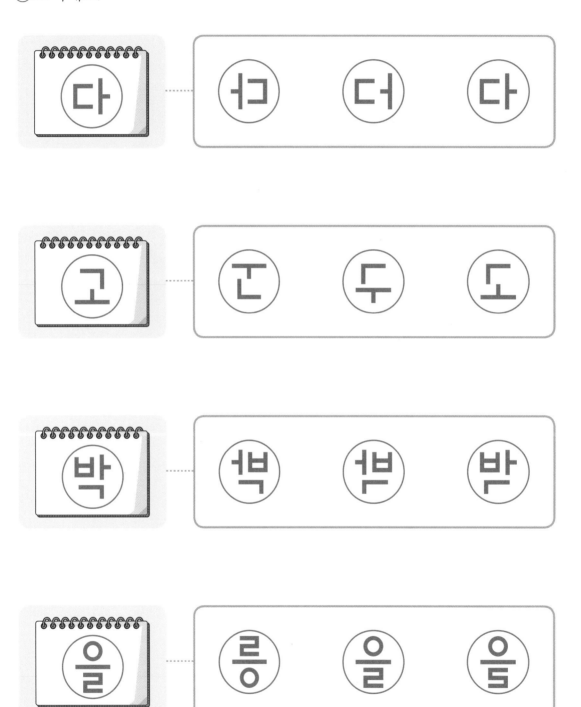

▶ 물음에 답하세요.

'오이'가 찍히도록 도장을 새기려고 합니다. 도장을 어떻게 새겨야 하는지 그려 보세요.

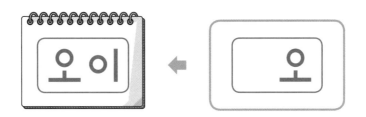

'구름'이 찍히도록 도장을 새기려고 합니다. 도장을 어떻게 새겨야 하는지 그려 보세요.

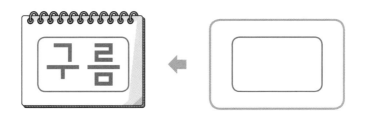

'소나기'가 찍히도록 도장을 새기려고 합니다. 도장을 어떻게 새겨야 하는지 그려 보세요.

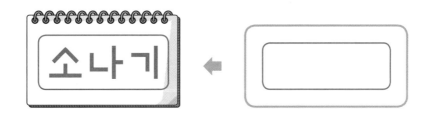

숫자 움직이기 (1)

▶ 0부터 9까지의 숫자가 있습니다. 물음에 답하세요.

0 I 2 3 4 5 6 7 8 9

오른쪽으로 뒤집어도 숫자가 되는 숫자를 모두 써 보세요.

(   )

아래쪽으로 뒤집어도 숫자가 되는 숫자를 모두 써 보세요.

(   )

시계 방향으로 180°만큼 돌려도 숫자가 되는 숫자를 모두 써 보세요.

(   )

수 21을 투명 필름 위에 쓴 다음, 여러 가지 방법으로 움직여서 15, 12, 51을 만들었습니다. 움직인 방법을 설명해 보세요.

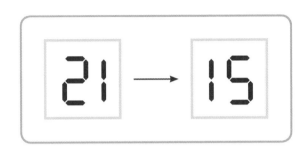

21을 _____

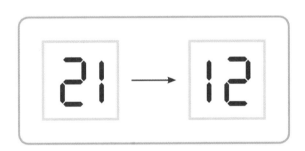

21을 _____

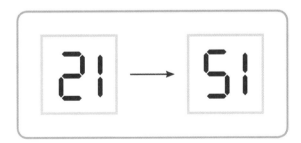

21을 _____

PLUS 3 숫자 움직이기 (2)

▶ 물음에 답하세요.

위쪽으로 뒤집었을 때 가장 큰 수가 되는 수를 써 보세요.

(   )

왼쪽으로 뒤집었을 때 가장 작은 수가 되는 수를 써 보세요.

25	22	18

(   )

시계 방향으로 180°만큼 돌렸을 때 가장 큰 수가 되는 수를 써 보세요.

62	89	56

(   )

▶ 물음에 답하세요.

어떤 수를 시계 반대 방향으로 180°만큼 돌렸더니 다음과 같이 되었습니다.
돌리기 전 처음 수를 구해 보세요.

$$91$$

(   )

주어진 두 자리 수를 오른쪽으로 뒤집었을 때의 수와 처음 두 자리 수의 합을
구해 보세요.

$$85$$

(   )

주어진 세 자리 수를 시계 방향으로 180°만큼 돌렸을 때의 수와 처음 세 자리
수의 합을 구해 보세요.

$$612$$

(   )

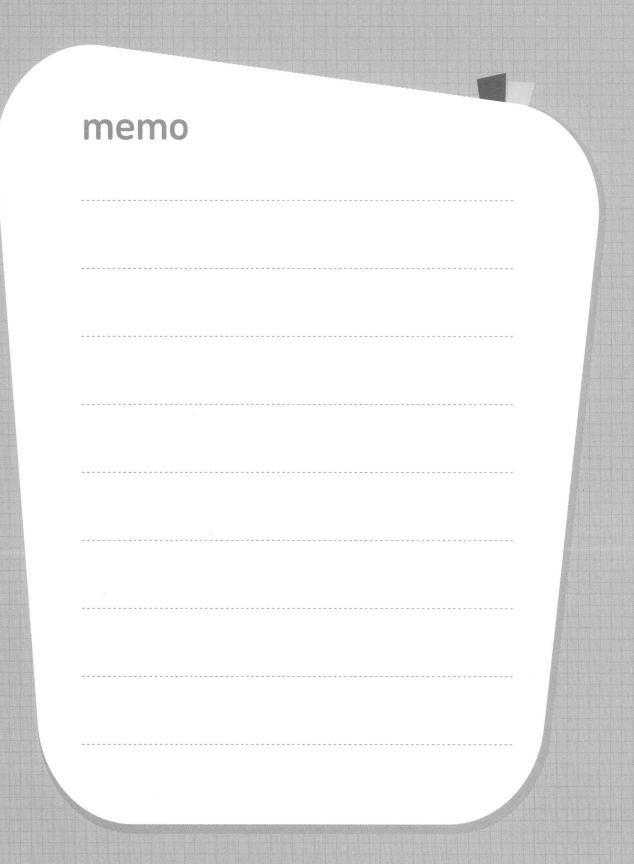

memo

형성평가

1회 ············· 64

2회 ············· 66

1 모양 조각을 왼쪽으로 뒤집었을 때의 모양에 ◯표 하세요.

(   )   (   )   (   )

2 도형을 시계 방향으로 180°만큼 돌렸을 때의 도형을 그려 보세요.

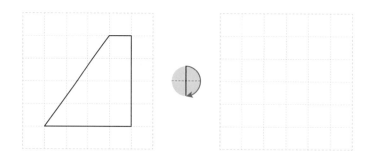

3 모양 조각을 밀었습니다. 빈칸에 알맞은 말 또는 수를 써넣으세요.

조각 **가**를 ▢ 쪽으로 ▢ 칸 밀고,

▢ 쪽으로 ▢ 칸 밀면 조각 **나**가 됩니다.

4 모양 조각을 다음과 같이 순서대로 움직였을 때의 모양에 ◯표 하세요.

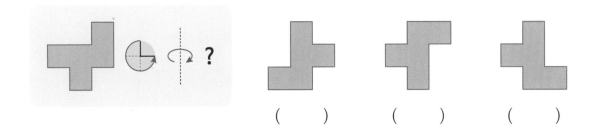

(　　) 　　 (　　) 　　 (　　)

5 어떤 도형을 오른쪽으로 뒤집었더니 다음과 같았습니다. 뒤집기 전 도형을 그려 보세요.

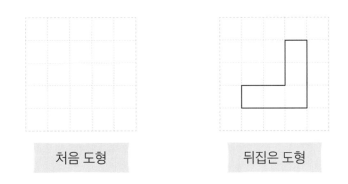

처음 도형 　　　　　　 뒤집은 도형

6 모양 조각을 돌렸습니다. 조각을 돌린 방법을 2가지로 설명해 보세요.

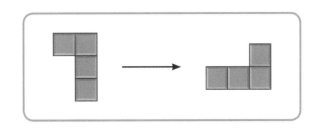

방법 1 _____

방법 2 _____

1 한 칸이 1 cm인 모눈입니다. 도형을 오른쪽으로 4 cm 밀었을 때의 도형을 그려 보세요.

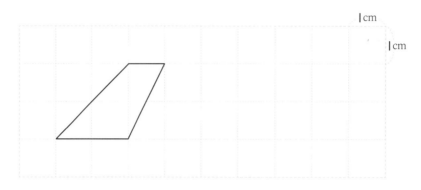

2 그림을 시계 반대 방향으로 180°만큼 돌린 것에 ○표 하세요.

(   )   (   )   (   )

3 도형을 오른쪽으로 뒤집고, 시계 방향으로 90°만큼 돌린 도형을 차례로 그려 보세요.

4 왼쪽 모양을 움직였더니 오른쪽 모양이 되었습니다. 모양을 움직인 방법을 찾아 ◯표 하세요.

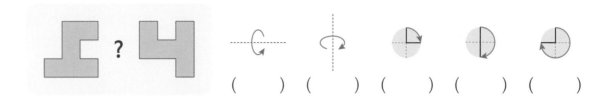

(   )   (   )   (   )   (   )   (   )

5 빈칸에 알맞은 기호를 써넣으세요.

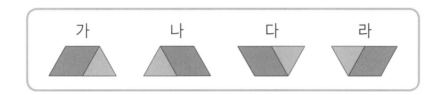

모양 **가**를 아래쪽으로 뒤집으면 모양 ☐ 가 됩니다.

모양 **라**를 시계 방향으로 **180°**만큼 돌리면 모양 ☐ 가 됩니다.

6 왼쪽 조각을 움직여서 빈 곳을 채웁니다. 조각을 움직이는 방법을 설명해 보세요.

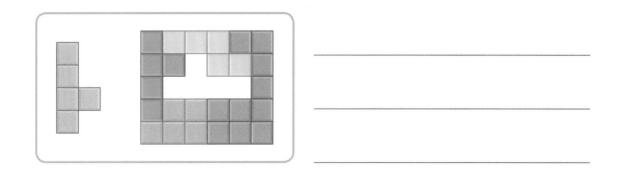

_____

_____

_____

투명 필름 활동지 이용하기

1. 뒤집거나 돌린 도형을 그리다가 도움이 필요할 때 이용하세요.

가능한 투명 필름 활동지 없이 그리는 것이 좋지만, 주차별로 1~2일차는 도형을 직접 움직여 보는 활동을 해 보는 것도 도움이 됩니다.

2. 뒤집거나 돌린 도형을 그린 후, 확인용으로 이용하세요.

도형을 직접 움직이면서 도형의 방향이 바뀌는 과정을 관찰하는 것도 중요합니다.

※ 투명 필름 활동지는 가위로 잘라서 이용하세요.

memo

하루 한 장 60일 집중 완성

교과도형  정답

초4

D2

평면도형의 이동

정 답

D2
평면도형의 이동

1주차 밀기

21일 왼쪽과 오른쪽

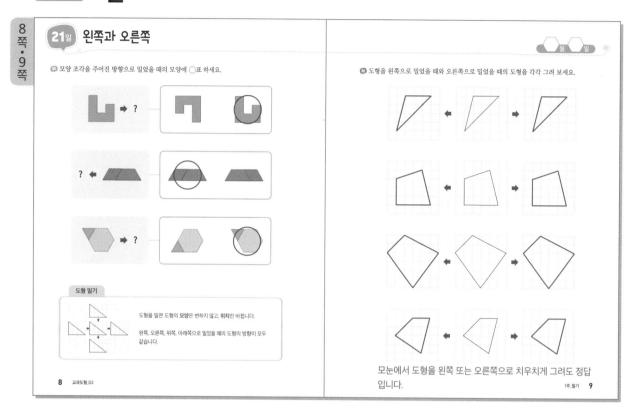

모양 조각을 주어진 방향으로 밀었을 때의 모양에 ◯표 하세요.

도형 밀기

도형을 밀면 도형의 **모양**은 변하지 않고, **위치**만 바뀝니다.

왼쪽, 오른쪽, 위쪽, 아래쪽으로 밀었을 때의 도형의 방향이 모두 같습니다.

도형을 왼쪽으로 밀었을 때와 오른쪽으로 밀었을 때의 도형을 각각 그려 보세요.

모눈에서 도형을 왼쪽 또는 오른쪽으로 치우치게 그려도 정답입니다.

22일 위쪽과 아래쪽

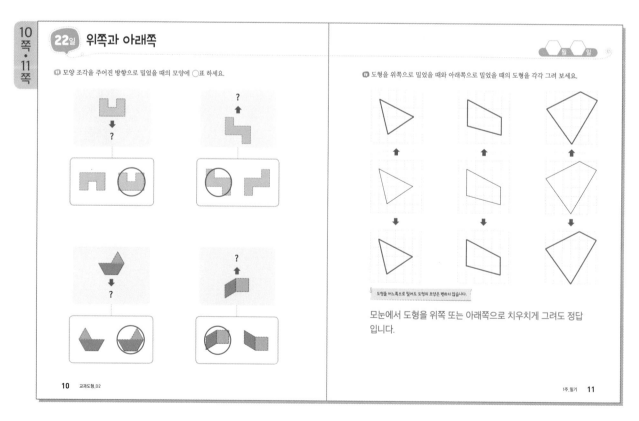

모양 조각을 주어진 방향으로 밀었을 때의 모양에 ◯표 하세요.

도형을 위쪽으로 밀었을 때와 아래쪽으로 밀었을 때의 도형을 각각 그려 보세요.

도형을 어느 쪽으로 밀어도 도형의 모양은 변하지 않습니다.

모눈에서 도형을 위쪽 또는 아래쪽으로 치우치게 그려도 정답입니다.

23일 주어진 만큼 밀기 (1)

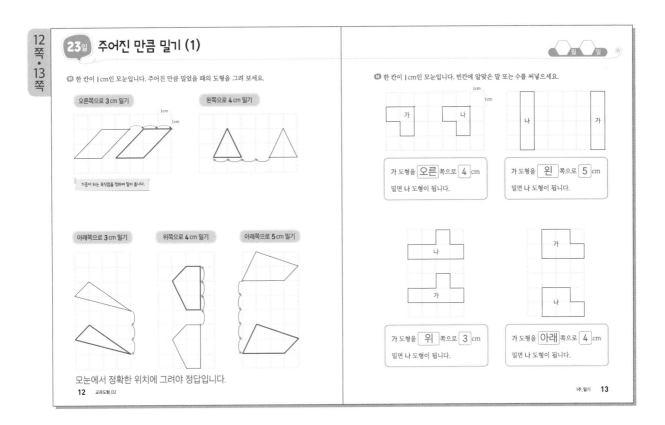

오른쪽으로 3cm 밀기

왼쪽으로 4cm 밀기

기준이 되는 꼭짓점을 정하여 밀어 봅니다.

아래쪽으로 3cm 밀기

위쪽으로 4cm 밀기

아래쪽으로 5cm 밀기

모눈에서 정확한 위치에 그려야 정답입니다.

12 교과도형_D2

한 칸이 1cm인 모눈입니다. 빈칸에 알맞은 말 또는 수를 써넣으세요.

가 도형을 **오른** 쪽으로 **4** cm 밀면 나 도형이 됩니다.

가 도형을 **왼** 쪽으로 **5** cm 밀면 나 도형이 됩니다.

가 도형을 **위** 쪽으로 **3** cm 밀면 나 도형이 됩니다.

가 도형을 **아래** 쪽으로 **4** cm 밀면 나 도형이 됩니다.

24일 주어진 만큼 밀기 (2)

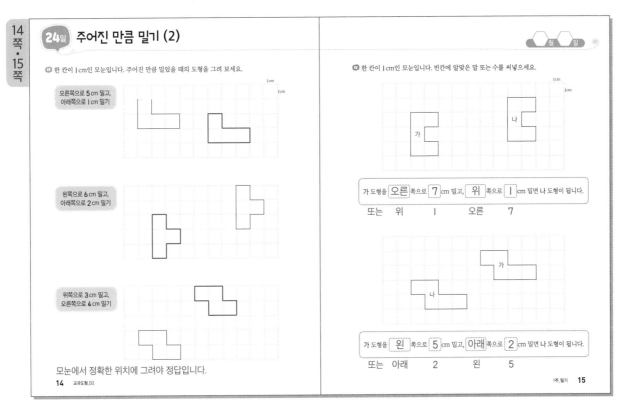

한 칸이 1cm인 모눈입니다. 주어진 만큼 밀었을 때의 도형을 그려 보세요.

오른쪽으로 5cm 밀고, 아래쪽으로 1cm 밀기

왼쪽으로 6cm 밀고, 아래쪽으로 2cm 밀기

위쪽으로 3cm 밀고, 오른쪽으로 4cm 밀기

모눈에서 정확한 위치에 그려야 정답입니다.

14 교과도형_D2

한 칸이 1cm인 모눈입니다. 빈칸에 알맞은 말 또는 수를 써넣으세요.

가 도형을 **오른** 쪽으로 **7** cm 밀고, **위** 쪽으로 **1** cm 밀면 나 도형이 됩니다.

또는 위 1 오른 7

가 도형을 **왼** 쪽으로 **5** cm 밀고, **아래** 쪽으로 **2** cm 밀면 나 도형이 됩니다.

또는 아래 2 왼 5

정답 **3**

정답

25일 조각 맞추기와 꺼내기

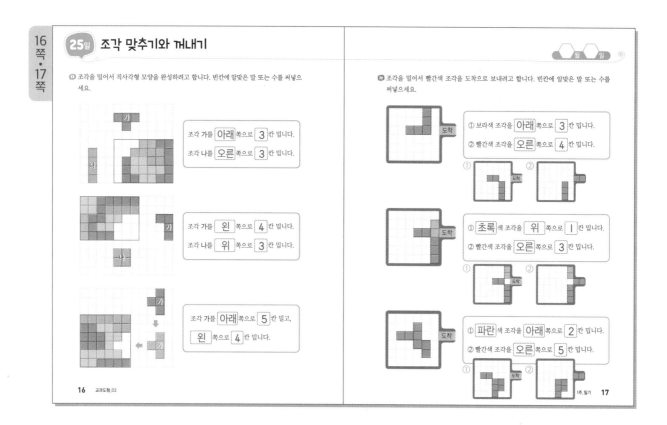

13 조각을 밀어서 직사각형 모양을 완성하려고 합니다. 빈칸에 알맞은 말 또는 수를 써넣으세요.

조각 가를 아래 쪽으로 3 칸 밉니다.
조각 나를 오른 쪽으로 3 칸 밉니다.

조각 가를 왼 쪽으로 4 칸 밉니다.
조각 나를 위 쪽으로 3 칸 밉니다.

조각 가를 아래 쪽으로 5 칸 밀고,
왼 쪽으로 4 칸 밉니다.

16 교과도형_D2

14 조각을 밀어서 빨간색 조각을 도착으로 보내려고 합니다. 빈칸에 알맞은 말 또는 수를 써넣으세요.

① 보라색 조각을 아래 쪽으로 3 칸 밉니다.
② 빨간색 조각을 오른 쪽으로 4 칸 밉니다.

① 초록 색 조각을 위 쪽으로 1 칸 밉니다.
② 빨간색 조각을 오른 쪽으로 3 칸 밉니다.

① 파란 색 조각을 아래 쪽으로 2 칸 밉니다.
② 빨간색 조각을 오른 쪽으로 5 칸 밉니다.

1주. 밀기 17

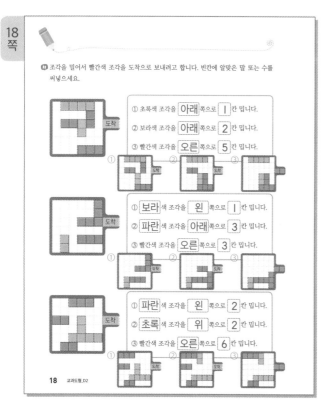

15 조각을 밀어서 빨간색 조각을 도착으로 보내려고 합니다. 빈칸에 알맞은 말 또는 수를 써넣으세요.

① 초록색 조각을 아래 쪽으로 1 칸 밉니다.
② 보라색 조각을 아래 쪽으로 2 칸 밉니다.
③ 빨간색 조각을 오른 쪽으로 5 칸 밉니다.

① 보라 색 조각을 왼 쪽으로 1 칸 밉니다.
② 파란 색 조각을 아래 쪽으로 3 칸 밉니다.
③ 빨간색 조각을 오른 쪽으로 3 칸 밉니다.

① 파란 색 조각을 왼 쪽으로 2 칸 밉니다.
② 초록 색 조각을 위 쪽으로 2 칸 밉니다.
③ 빨간색 조각을 오른 쪽으로 6 칸 밉니다.

18 교과도형_D2

26일 왼쪽과 오른쪽

① 모양 조각을 주어진 방향으로 뒤집었을 때의 모양에 ○표 하세요.

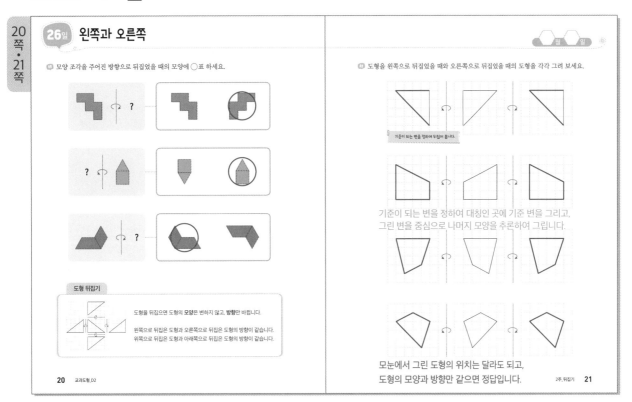

도형 뒤집기

도형을 뒤집으면 도형의 **모양**은 변하지 않고, **방향**만 바뀝니다.

왼쪽으로 뒤집은 도형과 오른쪽으로 뒤집은 도형의 방향이 같습니다.
위쪽으로 뒤집은 도형과 아래쪽으로 뒤집은 도형의 방향이 같습니다.

② 도형을 왼쪽으로 뒤집었을 때와 오른쪽으로 뒤집었을 때의 도형을 각각 그려 보세요.

기준이 되는 변을 정하여 뒤집어 봅니다.

기준이 되는 변을 정하여 대칭인 곳에 기준 변을 그리고,
그린 변을 중심으로 나머지 모양을 추론하여 그립니다.

모눈에서 그린 도형의 위치는 달라도 되고,
도형의 모양과 방향만 같으면 정답입니다.

27일 위쪽과 아래쪽

① 모양 조각을 주어진 방향으로 뒤집었을 때의 모양에 ○표 하세요.

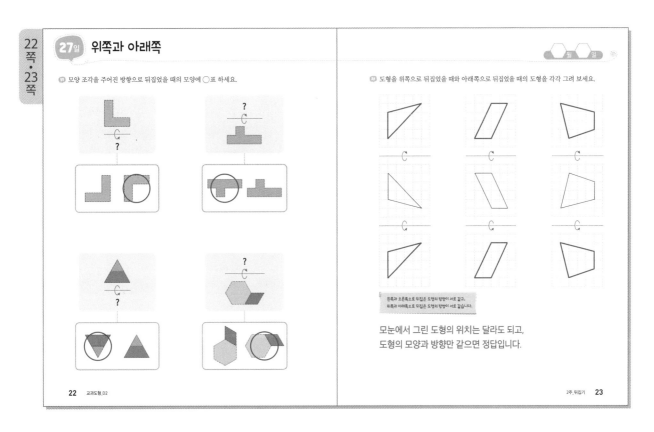

② 도형을 위쪽으로 뒤집었을 때와 아래쪽으로 뒤집었을 때의 도형을 각각 그려 보세요.

왼쪽과 오른쪽으로 뒤집은 도형의 방향이 서로 같고,
위쪽과 아래쪽으로 뒤집은 도형의 방향이 서로 같습니다.

모눈에서 그린 도형의 위치는 달라도 되고,
도형의 모양과 방향만 같으면 정답입니다.

정답 **5**

정답

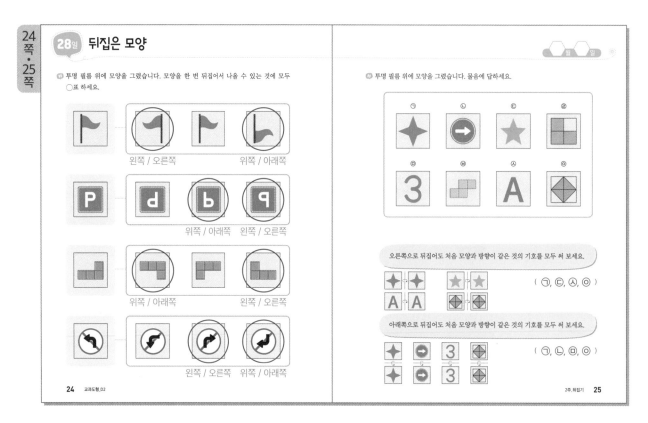

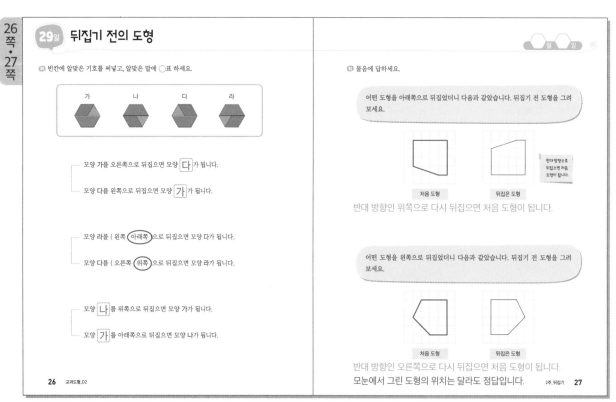

6 교과도형_D2

30일 여러 번 뒤집기

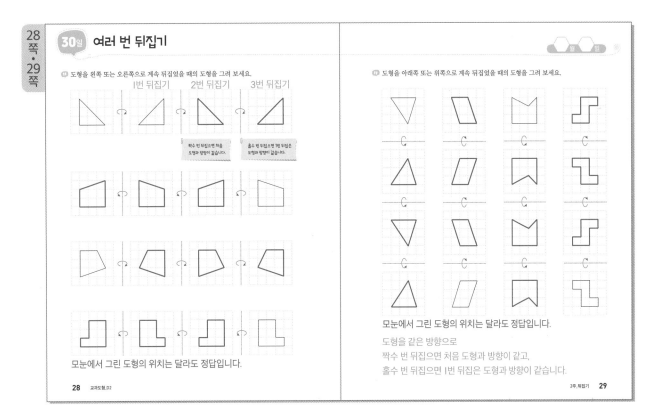

1번 뒤집기   2번 뒤집기   3번 뒤집기

짝수 번 뒤집으면 처음 도형과 방향이 같습니다.
홀수 번 뒤집으면 1번 뒤집은 도형과 방향이 같습니다.

① 도형을 왼쪽 또는 오른쪽으로 계속 뒤집었을 때의 도형을 그려 보세요.

모눈에서 그린 도형의 위치는 달라도 정답입니다.

① 도형을 아래쪽 또는 위쪽으로 계속 뒤집었을 때의 도형을 그려 보세요.

모눈에서 그린 도형의 위치는 달라도 정답입니다.

도형을 같은 방향으로
짝수 번 뒤집으면 처음 도형과 방향이 같고,
홀수 번 뒤집으면 1번 뒤집은 도형과 방향이 같습니다.

① 물음에 답하세요.

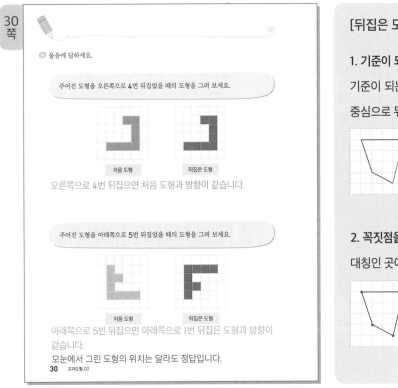

주어진 도형을 오른쪽으로 4번 뒤집었을 때의 도형을 그려 보세요.

처음 도형   뒤집은 도형

오른쪽으로 4번 뒤집으면 처음 도형과 방향이 같습니다.

주어진 도형을 아래쪽으로 5번 뒤집었을 때의 도형을 그려 보세요.

처음 도형   뒤집은 도형

아래쪽으로 5번 뒤집으면 아래쪽으로 1번 뒤집은 도형과 방향이
같습니다.
모눈에서 그린 도형의 위치는 달라도 정답입니다.

[뒤집은 도형 그리기]

1. 기준이 되는 변을 정하여 그리기

기준이 되는 변을 정하여 대칭으로 그리고, 그린 변을
중심으로 뒤집은 모양을 추론하여 그립니다.

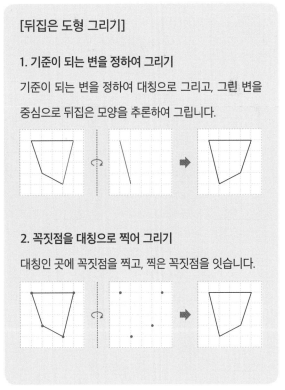

2. 꼭짓점을 대칭으로 찍어 그리기

대칭인 곳에 꼭짓점을 찍고, 찍은 꼭짓점을 잇습니다.

정답

3주차 돌리기

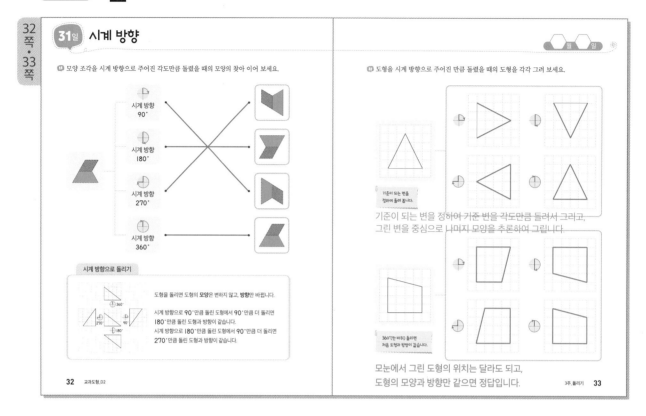

31일 시계 방향

모양 조각을 시계 방향으로 주어진 각도만큼 돌렸을 때의 모양을 찾아 이어 보세요.

시계 방향 90°

시계 방향 180°

시계 방향 270°

시계 방향 360°

시계 방향으로 돌리기

도형을 돌리면 도형의 **모양**은 변하지 않고, **방향**만 바뀝니다.

시계 방향으로 90°만큼 돌린 도형에서 90°만큼 더 돌리면 180°만큼 돌린 도형과 같습니다.
시계 방향으로 180°만큼 돌린 도형에서 90°만큼 더 돌리면 270°만큼 돌린 도형과 방향이 같습니다.

도형을 시계 방향으로 주어진 만큼 돌렸을 때의 도형을 각각 그려 보세요.

기준이 되는 변을 정하여 돌려 봅니다.

기준이 되는 변을 정하여 기준 변을 각도만큼 돌려서 그리고, 그린 변을 중심으로 나머지 모양을 추론하여 그립니다.

360°(만큼) 돌리면 처음 도형과 방향이 같습니다.

모눈에서 그린 도형의 위치는 달라도 되고,
도형의 모양과 방향만 같으면 정답입니다.

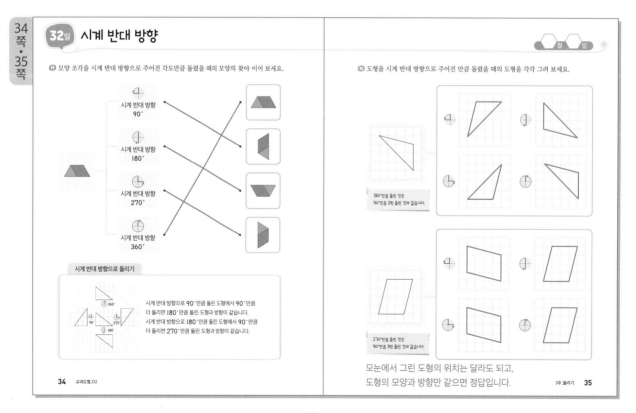

32일 시계 반대 방향

모양 조각을 시계 반대 방향으로 주어진 각도만큼 돌렸을 때의 모양을 찾아 이어 보세요.

시계 반대 방향 90°

시계 반대 방향 180°

시계 반대 방향 270°

시계 반대 방향 360°

시계 반대 방향으로 돌리기

시계 반대 방향으로 90°만큼 돌린 도형에서 90°만큼 더 돌리면 180°만큼 돌린 도형과 방향이 같습니다.
시계 반대 방향으로 180°만큼 돌린 도형에서 90°만큼 더 돌리면 270°만큼 돌린 도형과 방향이 같습니다.

도형을 시계 반대 방향으로 주어진 만큼 돌렸을 때의 도형을 각각 그려 보세요.

180°만큼 돌린 것은 90°만큼 2번 돌린 것과 같습니다.

270°만큼 돌린 것은 90°만큼 3번 돌린 것과 같습니다.

모눈에서 그린 도형의 위치는 달라도 되고,
도형의 모양과 방향만 같으면 정답입니다.

33일 방향이 같은 도형

⓫ 도형을 시계 반대 방향과 시계 방향으로 주어진 만큼 돌린 도형을 각각 그려 보세요.

⓬ 위쪽 도형을 주어진 만큼 돌린 도형을 아래쪽에 그려 보세요.

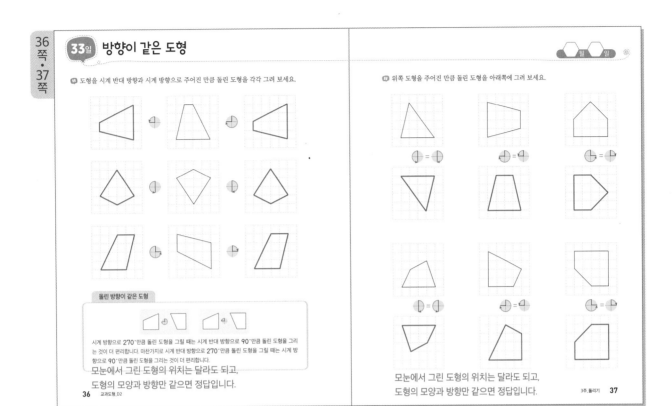

돌린 방향이 같은 도형

시계 방향으로 270°만큼 돌린 도형을 그릴 때는 시계 반대 방향으로 90°만큼 돌린 도형을 그리는 것이 더 편리합니다. 마찬가지로 시계 반대 방향으로 270°만큼 돌린 도형을 그릴 때는 시계 방향으로 90°만큼 돌린 도형을 그리는 것이 더 편리합니다.

모눈에서 그린 도형의 위치는 달라도 되고,
도형의 모양과 방향만 같으면 정답입니다.

모눈에서 그린 도형의 위치는 달라도 되고,
도형의 모양과 방향만 같으면 정답입니다.

34일 도형을 돌린 방법

⓫ 주어진 말 중에서 알맞은 것을 골라 써넣어 도형을 돌린 방법을 두 가지로 설명해 보세요.

⓬ 빈칸에 알맞은 기호를 써넣고, 알맞은 말에 ○표 하세요.

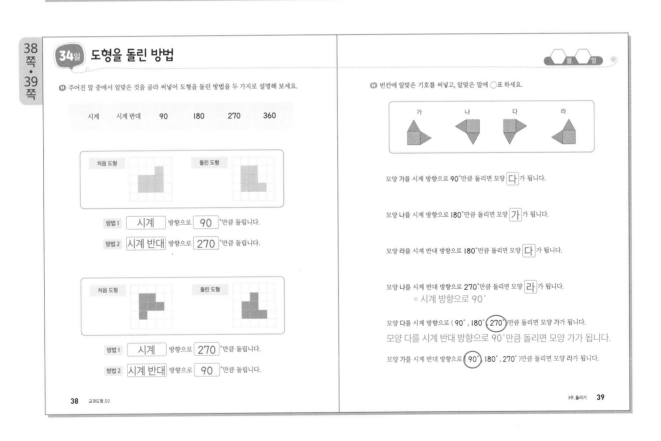

| 시계 | 시계 반대 | 90 | 180 | 270 | 360 |

| 처음 도형 | 돌린 도형 |

방법 1 　시계　 방향으로　90　°만큼 돌립니다.
방법 2 　시계 반대　 방향으로　270　°만큼 돌립니다.

| 처음 도형 | 돌린 도형 |

방법 1 　시계　 방향으로　270　°만큼 돌립니다.
방법 2 　시계 반대　 방향으로　90　°만큼 돌립니다.

| 가 | 나 | 다 | 라 |

모양 가를 시계 방향으로 90°만큼 돌리면 모양 　다　 가 됩니다.

모양 나를 시계 방향으로 180°만큼 돌리면 모양 　가　 가 됩니다.

모양 라를 시계 반대 방향으로 180°만큼 돌리면 모양 　다　 가 됩니다.

모양 나를 시계 반대 방향으로 270°만큼 돌리면 모양 　라　 가 됩니다.
= 시계 방향으로 90°

모양 다를 시계 방향으로 (90°, 180°, ⦵270°)만큼 돌리면 모양 가가 됩니다.

모양 다를 시계 반대 방향으로 90°만큼 돌리면 모양 가가 됩니다.

모양 가를 시계 반대 방향으로 (⦵90°, 180°, 270°)만큼 돌리면 모양 라가 됩니다.

35일 돌리기 전의 도형

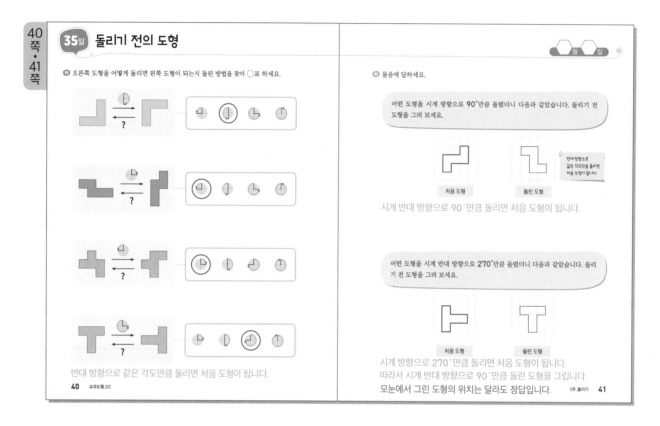

⑪ 오른쪽 도형을 어떻게 돌리면 왼쪽 도형이 되는지 돌린 방법을 찾아 ○표 하세요.

반대 방향으로 같은 각도만큼 돌리면 처음 도형이 됩니다.

⑫ 물음에 답하세요.

어떤 도형을 시계 방향으로 90°만큼 돌렸더니 다음과 같았습니다. 돌리기 전 도형을 그려 보세요.

처음 도형 | 돌린 도형

반대 방향으로 같은 각도만큼 돌리면 처음 도형이 됩니다.

시계 반대 방향으로 90°만큼 돌리면 처음 도형이 됩니다.

어떤 도형을 시계 반대 방향으로 270°만큼 돌렸더니 다음과 같았습니다. 돌리기 전 도형을 그려 보세요.

처음 도형 | 돌린 도형

시계 방향으로 270°만큼 돌리면 처음 도형이 됩니다.
따라서 시계 반대 방향으로 90°만큼 돌린 도형을 그립니다.
모눈에서 그린 도형의 위치는 달라도 정답입니다.

⑬ 물음에 답하세요.

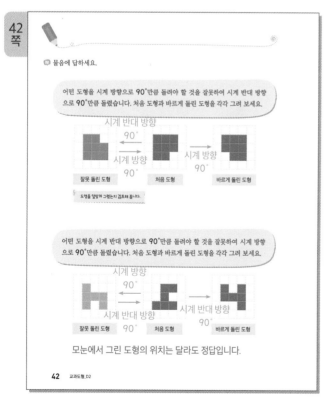

어떤 도형을 시계 방향으로 90°만큼 돌려야 할 것을 잘못하여 시계 반대 방향으로 90°만큼 돌렸습니다. 처음 도형과 바르게 돌린 도형을 각각 그려 보세요.

시계 반대 방향
90°
시계 방향
90°
시계 방향
90°

잘못 돌린 도형 | 처음 도형 | 바르게 돌린 도형

도형을 알맞게 그렸는지 검토해 봅니다.

어떤 도형을 시계 반대 방향으로 90°만큼 돌려야 할 것을 잘못하여 시계 방향으로 90°만큼 돌렸습니다. 처음 도형과 바르게 돌린 도형을 각각 그려 보세요.

시계 방향
90°
시계 반대 방향
90°
시계 반대 방향
90°

잘못 돌린 도형 | 처음 도형 | 바르게 돌린 도형

모눈에서 그린 도형의 위치는 달라도 정답입니다.

[돌린 도형 그리기]

1. 기준이 되는 변을 정하여 그리기

기준이 되는 변을 각도만큼 돌려서 그리고, 그린 변을 중심으로 나머지 모양을 추론하여 그립니다.

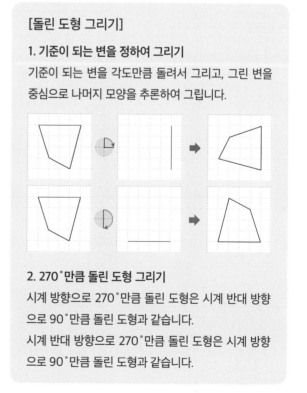

2. 270°만큼 돌린 도형 그리기

시계 방향으로 270°만큼 돌린 도형은 시계 반대 방향으로 90°만큼 돌린 도형과 같습니다.
시계 반대 방향으로 270°만큼 돌린 도형은 시계 방향으로 90°만큼 돌린 도형과 같습니다.

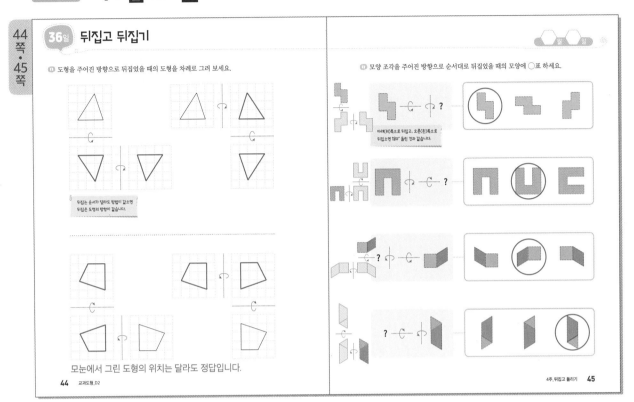

36일 뒤집고 뒤집기

⑪ 도형을 주어진 방향으로 뒤집었을 때의 도형을 차례로 그려 보세요.

뒤집는 순서가 달라도 방법이 같으면 뒤집은 도형의 방향이 같습니다.

⑫ 모양 조각을 주어진 방향으로 순서대로 뒤집었을 때의 모양에 ◯표 하세요.

모눈에서 그린 도형의 위치는 달라도 정답입니다.

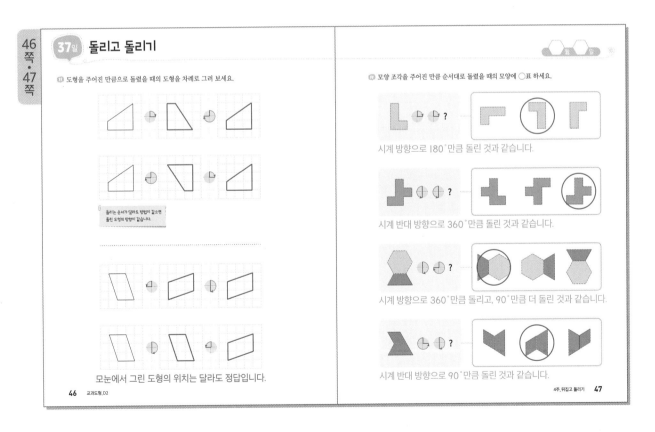

37일 돌리고 돌리기

⑬ 도형을 주어진 만큼으로 돌렸을 때의 도형을 차례로 그려 보세요.

돌리는 순서가 달라도 방법이 같으면 돌린 도형의 방향이 같습니다.

모눈에서 그린 도형의 위치는 달라도 정답입니다.

⑭ 모양 조각을 주어진 만큼 순서대로 돌렸을 때의 모양에 ◯표 하세요.

시계 방향으로 180°만큼 돌린 것과 같습니다.

시계 반대 방향으로 360°만큼 돌린 것과 같습니다.

시계 방향으로 360°만큼 돌리고, 90°만큼 더 돌린 것과 같습니다.

시계 반대 방향으로 90°만큼 돌린 것과 같습니다.

38일 뒤집고 돌리기

⑯ 도형을 다음과 같이 움직였을 때의 도형을 차례로 그려 보세요.

⑰ 모양 조각을 다음과 같이 순서대로 움직였을 때의 모양에 ○표 하세요.

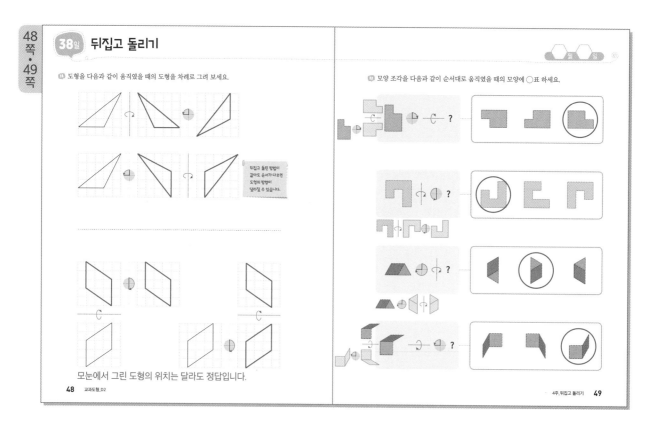

모눈에서 그린 도형의 위치는 달라도 정답입니다.

39일 여러 번 뒤집고 돌리기

⑬ 도형을 다음과 같이 움직였을 때의 도형을 차례로 그려 보세요.

⑭ 물음에 답하여 알맞은 말에 ○표 하고, 움직인 도형을 그려 보세요.

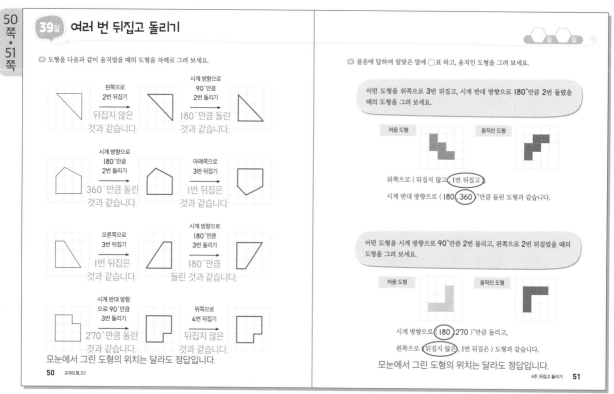

어떤 도형을 위쪽으로 3번 뒤집고, 시계 반대 방향으로 180°만큼 2번 돌렸을 때의 도형을 그려 보세요.

위쪽으로 (뒤집지 않고, ①번 뒤집고)

시계 반대 방향으로 (180, 360)°만큼 돌린 도형과 같습니다.

어떤 도형을 시계 방향으로 90°만큼 2번 돌리고, 왼쪽으로 2번 뒤집었을 때의 도형을 그려 보세요.

시계 방향으로 (180, 270)°만큼 돌리고,

왼쪽으로 (뒤집지 않은, 1번 뒤집은) 도형과 같습니다.

모눈에서 그린 도형의 위치는 달라도 정답입니다.

모눈에서 그린 도형의 위치는 달라도 정답입니다.

40일 움직이는 방법

❶ 도형을 움직였습니다. 알맞은 말에 ○표 하세요.

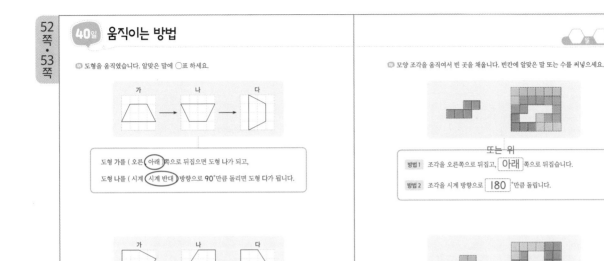

가 → 나 → 다

도형 가를 (오른 , 아래)쪽으로 뒤집으면 도형 나가 되고,

도형 나를 (시계 , 시계 반대) 방향으로 90°만큼 돌리면 도형 다가 됩니다.

가 → 나 → 다

도형 가를 시계 방향으로 (90 , 180)°만큼 돌리면 도형 나가 되고,

도형 나를 (왼 , 위)쪽으로 뒤집으면 도형 다가 됩니다.

❶ 모양 조각을 움직여서 빈 곳을 채웁니다. 빈칸에 알맞은 말 또는 수를 써넣으세요.

또는 위

방법 1 조각을 오른쪽으로 뒤집고, 아래 쪽으로 뒤집습니다.

방법 2 조각을 시계 방향으로 180 °만큼 돌립니다.

방법 1 조각을 아래쪽으로 뒤집고, 시계 반대 방향으로 90 °만큼 돌립니다.

방법 2 조각을 시계 방향으로 90°만큼 돌리고, 아래 쪽으로 뒤집습니다.
또는 위

❶ 다음과 같이 글자를 움직이는 방법을 두 가지로 설명해 보세요.

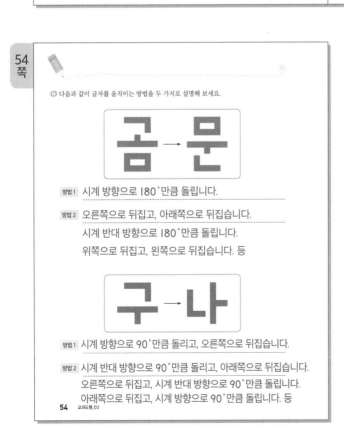

곰 → 문

방법 1 시계 방향으로 180°만큼 돌립니다.

방법 2 오른쪽으로 뒤집고, 아래쪽으로 뒤집습니다.

시계 반대 방향으로 180°만큼 돌립니다.

위쪽으로 뒤집고, 왼쪽으로 뒤집습니다. 등

구 → 나

방법 1 시계 방향으로 90°만큼 돌리고, 오른쪽으로 뒤집습니다.

방법 2 시계 반대 방향으로 90°만큼 돌리고, 아래쪽으로 뒤집습니다.

오른쪽으로 뒤집고, 시계 반대 방향으로 90°만큼 돌립니다.

아래쪽으로 뒤집고, 시계 방향으로 90°만큼 돌립니다. 등

정답

도형 플러스+ 글자와 숫자의 이동

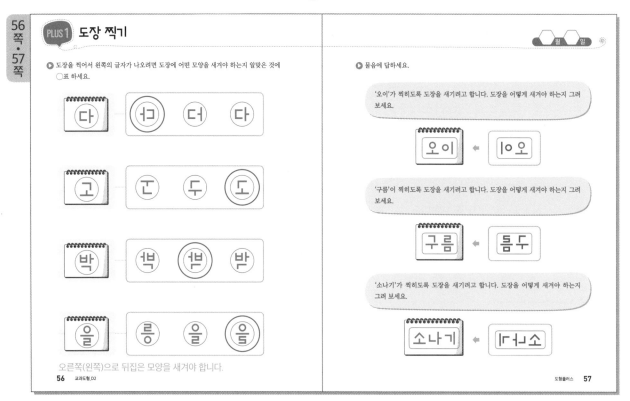

PLUS 1 도장 찍기

도장을 찍어서 왼쪽의 글자가 나오려면 도장에 어떤 모양을 새겨야 하는지 알맞은 것에 ○표 하세요.

오른쪽(왼쪽)으로 뒤집은 모양을 새겨야 합니다.

56 교과도형_D2

물음에 답하세요.

'오이'가 찍히도록 도장을 새기려고 합니다. 도장을 어떻게 새겨야 하는지 그려 보세요.

'구름'이 찍히도록 도장을 새기려고 합니다. 도장을 어떻게 새겨야 하는지 그려 보세요.

'소나기'가 찍히도록 도장을 새기려고 합니다. 도장을 어떻게 새겨야 하는지 그려 보세요.

도형플러스 57

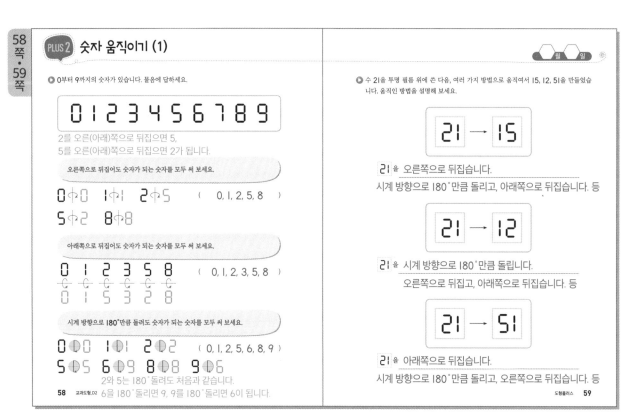

PLUS 2 숫자 움직이기 (1)

0부터 9까지의 숫자가 있습니다. 물음에 답하세요.

2를 오른(아래)쪽으로 뒤집으면 5,
5를 오른(아래)쪽으로 뒤집으면 2가 됩니다.

오른쪽으로 뒤집어도 숫자가 되는 숫자를 모두 써 보세요.

(0, 1, 2, 5, 8)

아래쪽으로 뒤집어도 숫자가 되는 숫자를 모두 써 보세요.

(0, 1, 2, 3, 5, 8)

시계 방향으로 180°만큼 돌려도 숫자가 되는 숫자를 모두 써 보세요.

(0, 1, 2, 5, 6, 8, 9)

2와 5는 180° 돌려도 처음과 같습니다.

58 교과도형_D2 6을 180° 돌리면 9, 9를 180° 돌리면 6이 됩니다.

수 21을 투명 필름 위에 쓴 다음, 여러 가지 방법으로 움직여서 15, 12, 51을 만들었습니다. 움직인 방법을 설명해 보세요.

21 → 15

21 을 오른쪽으로 뒤집습니다.
시계 방향으로 180°만큼 돌리고, 아래쪽으로 뒤집습니다. 등

21 → 12

21 을 시계 방향으로 180°만큼 돌립니다.
오른쪽으로 뒤집고, 아래쪽으로 뒤집습니다. 등

21 → 51

21 을 아래쪽으로 뒤집습니다.
시계 방향으로 180°만큼 돌리고, 오른쪽으로 뒤집습니다. 등

도형플러스 59